ROUGE-BABINE

Les éditions de la courte échelle inc.
160, rue Saint-Viateur Est, bureau 404
Montréal (Québec) H2T 1A8
www.courteechelle.com

Révision : Leïla Turki

Dépôt légal, 4e trimestre 2013
Bibliothèque nationale du Québec

La courte échelle reconnaît l'aide financière du gouvernement du Canada par l'entremise du Fonds du livre du Canada pour ses activités d'édition. La courte échelle est aussi inscrite au programme de subvention globale du Conseil des arts du Canada et reçoit l'appui du gouvernement du Québec par l'intermédiaire de la SODEC.

La courte échelle bénéficie également du Programme de crédit d'impôt pour l'édition de livres – Gestion SODEC – du gouvernement du Québec.

Catalogage avant publication de Bibliothèque et Archives nationales du Québec et Bibliothèque et Archives Canada

Chartrand, Lili
Rouge-Babine au Vampiratum
(Série Rouge-Babine ; 5)
Pour les enfants de 9 ans et plus.
ISBN 978-2-89695-559-6

I. Titre.

PS8555.H4305R678 2013 jC843'.6 C2013-941306-5
PS9555.H4305R678 2013

Imprimé au Canada

ROUGE-BABINE

AU VAMPIRATUM

LILI CHARTRAND

la courte échelle

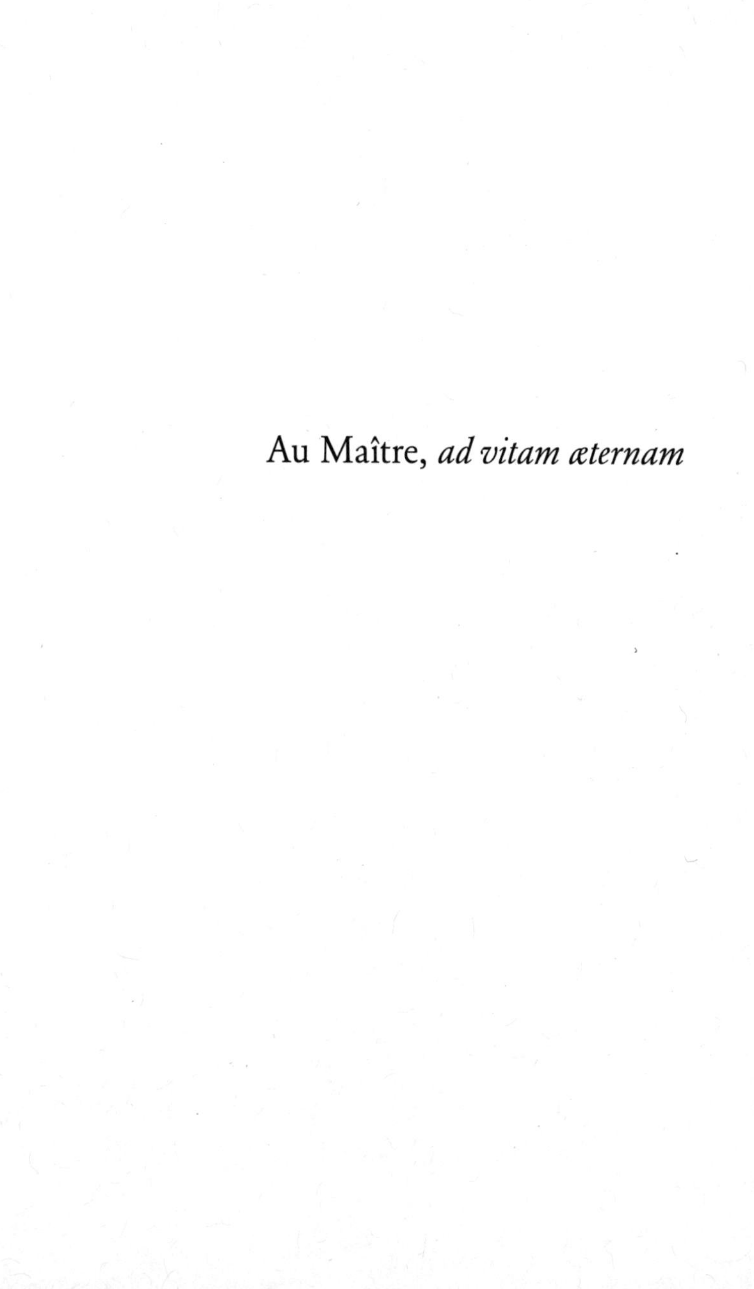

Au Maître, *ad vitam æternam*

1

Une nouvelle sidérante

– Rendez-vous dans mon wagon à vingt-trois heures, m'ordonne Argus. Et toi, Marie-Blodie, tu me rejoindras dès que j'en aurai fini avec Rouge-Babine, ajoute-t-il avant de se diriger vers un groupe de vampires réunis devant Le Sangria pour déguster leur verre de sang.

L'ordre du chef de Brumenoire me ravit. Y aurait-il un mystère dans l'air ? Une énigme est aussi alléchante à mes yeux qu'un lièvre l'est pour mon chien Plakett ! Ce n'est pas pour me vanter, mais mes quatre dernières enquêtes ont été des succès. Mon héros, Sherlock Holmes, serait fier de moi ! À l'instar de son bras droit, le docteur Watson, Plakett s'avère un assistant fort utile.

Mes pensées sont interrompues par Marie-Blodie :

– Je n'ai pourtant rien à me reprocher ! gémit-elle. Peut-être qu'Argus n'a pas aimé ma remarque sur ses boutons de manchettes ?

Je soupire. Il fallait que ma seule amie vampire de mon âge soit obsédée par la mode !

Pendant qu'elle marche de long en large en monologuant, je sirote mon éprouvette de sang-dragon.

Cette potion concoctée par la sorcière Belladona m'a sauvé la vie… Façon de parler, puisque je suis une vampire ! Allergique au sang humain, je bois cette mixture depuis un peu plus d'un siècle. Ça m'a fait perdre mes pouvoirs de vampire : l'ouïe fine, l'odorat aiguisé, le regard perçant, la force décuplée et la capacité de me transformer en chauve-souris. Mais, au bout de cent ans, j'en ai acquis de nouveaux : je peux sortir le jour, me transformer en colibri, comprendre le langage animal… La dernière faculté qui m'est « tombée dessus » se nomme psychométrie. En touchant un objet qui possède des vibrations émotives, je peux « voir », dans ma tête, des images sur son histoire.

– Qu'est-ce que j'ai fait de mal ? se demande encore mon amie en se tordant les mains.

Je hausse les épaules. Son babillage me donne mal à la tête. Et j'ai l'impression que mes yeux sont en feu ! À bien y penser, ça dure depuis quelques nuits déjà…

– Tes yeux sont tout rouges, jappe Plakett.

Une consultation s'impose. Un coup d'œil à l'horloge dressée au centre de Brumenoire m'indique qu'il me reste quinze minutes avant mon rendez-vous. J'abandonne Marie-Blodie à ses jérémiades et, Plakett sur les talons, je me faufile parmi les vampires en cherchant du regard Belladona. Comme elle brille par son absence, je file chez elle. Les voitures de chemin de fer qui sont tombées dans ce ravin il y a plus d'un siècle sont très pratiques. Elles ont été rafistolées, et leurs fenêtres, couvertes de planches, nous protègent du soleil. Brumenoire est un repaire idéal et quasi introuvable, avec le brouillard qui le recouvre…

Je cogne à la porte du seul habitacle aux fenêtres non obstruées. Belladona m'ouvre.

– Oh ! comme tes yeux luisent ! s'exclame-t-elle. On dirait des phares !

– Ils brûlent comme s'ils flottaient dans un élixir en ébullition.

– Je t'apporte tout de suite une pommade qui te soulagera.

Pendant que Belladona fouille dans ses tiroirs, je regarde les alentours. Comme d'habitude, mon amie prépare diverses potions. Une odeur de vieille chaussette emplit les lieux. Mon regard est attiré par une petite bouteille qui luit dans la pénombre. Je l'observe quand, soudain, elle fonce dans ma direction ! J'ai tout juste le temps de baisser la tête. La fiole éclate en mille morceaux sur le mur derrière moi. Belladona est bouche bée.

– Qu'est-ce qui s'est passé ? dis-je, figée par la surprise.

– Nom d'une araignée arthritique ! s'écrie la sorcière. Est-ce que par hasard... Rouge-Babine, concentre-toi sur mon grimoire pour qu'il vienne à toi.

Je fronce les sourcils. C'est une blague ? L'air sérieux de mon amie me convainc du contraire. Je fixe donc le livre sur le guéridon. La chaleur qui envahit mes yeux s'intensifie. Tout à coup, le grimoire se met à glisser sur la table ronde, puis il s'élance vers moi.

Je l'attrape au vol, abasourdie. Belladona, elle, semble ravie.

– Ma chère, je t'annonce que tu possèdes un nouveau pouvoir, et non le moindre : la télékinésie. Tu as la faculté de déplacer des objets par ta seule volonté. Il s'agit d'un phénomène très rare !

Les bras m'en tombent. Les yeux encore douloureux, je m'inquiète.

– Cette brûlure va-t-elle disparaître ?

– Oui. C'est normal que tu réagisses fort au début. Tiens, applique cette pommade sur tes paupières.

Le soulagement est immédiat. Voilà qui me rassure !

– Tes yeux sont de nouveau gris, aboie Plakett.

– Chaque nouveau pouvoir que tu acquiers me stupéfie, déclare Belladona. Tu n'oublies pas de garder le secret sur tes nouvelles facultés, hein ?

– Motus et bouche cousue ! Sinon, je sais trop bien que je les perdrais. Même chose si j'omets de boire une seule dose de ma mixture quotidienne. Vous savez, quand je me transforme en colibri, les vampires croient que c'est à cause de mon allergie au sang humain. N'ayez crainte, Belladona.

Le premier coup de vingt-trois heures sonne alors à l'horloge de Brumenoire.

– Je me sauve, Argus m'attend. Merci pour la pommade !

* * *

L'air perturbé, Argus pianote sur le bras de son fauteuil. Je m'assois en face de lui en croisant les doigts pour qu'il me confie une enquête.

– D'abord, commence-t-il, tu dois me promettre de garder le silence sur tout ce que je vais te confier.

Je hoche la tête sans rien dire. J'ai l'habitude de tenir ma langue.

– Il s'agit de la reine Carmilla, la vampire la plus puissante du monde, poursuit Argus. Comme tu le sais, tous les vampires la respectent et la craignent. Elle régit notre communauté avec une telle main de fer ! Mais là, elle m'inquiète. Hier soir, à la réunion du conseil, elle était lunatique et regardait l'heure à la dérobée.

Je crois même qu'elle avait bu ! Sa démarche un peu chancelante a suscité les rires étouffés de certains, mais elle n'a même pas réagi.

Cette nouvelle me surprend. Moi qui ai déjà mené une enquête pour la reine, je l'imagine très mal perdre ses moyens !

– En quinze années de règne, je ne l'ai jamais vue ainsi, affirme Argus. La nuit dernière, Miss Garrott m'a confirmé qu'elle buvait depuis trois nuits.

Ah oui, la surintendante antipathique du château ! Je doute qu'elle ait menti à Argus : sa loyauté envers la reine est irréprochable.

– D'après Miss Garrott, il s'avère impossible de lui soutirer la moindre confidence. Elle rabroue tout le monde et ne veut être dérangée sous aucun prétexte à partir de vingt-trois heures trente. Je crois savoir ce qui a déclenché son changement de comportement, déclare Argus. Et c'est là, Rouge-Babine, que tu interviens.

Me voilà plus attentive qu'un chat devant un oiseau.

– Un cirque clandestin s'est installé dans une immense vallée à l'ouest de Lasvegrad.

La majorité des vampires trouvent cet endroit infréquentable, car il pullule de monstres en tous genres.

Je retiens avec peine un soupir exaspéré. Mépriser les monstres à cause de leur physique est aberrant. Ces derniers ne portent pas les vampires dans leur cœur, avec raison, d'ailleurs. Les vampires se croient si parfaits !

– Du haut des airs, continue Argus, des vampires fureteurs ont remarqué le chapiteau et la file monstrueuse qui attendait pour assister au spectacle. Ils ont découvert ce tract à quelques mètres de là et l'ont aussitôt remis à Sa Majesté.

Je lis :

Bienvenue au Vampiratum ! Venez assister à un spectacle unique au monde, composé de vampires difformes et bizarres. Découvrez les frères siamois télépathes, le nain le plus fort du monde, et bien plus encore ! Spectacle à minuit. Relâche le mercredi.

– La reine s'est aussitôt insurgée contre cette exhibition dégradante, poursuit Argus. Elle la juge indigne de notre communauté.

Qu'est-ce que je disais ? Les vampires sont si imbus d'eux-mêmes !

– Elle m'a donné l'affichette en m'ordonnant de n'en parler à personne, me confie Argus. J'ai dû hypnotiser les vampires fureteurs pour qu'ils oublient ce qu'ils avaient vu ! La reine m'a prévenu qu'elle se rendrait sur place pour réduire ce spectacle à néant. L'opération s'annonçait dangereuse, avec tous ces monstres… Malgré mes protestations, elle n'a rien voulu entendre.

– Résultat ?

– Voilà où ça devient étrange, murmure Argus. Depuis son discours véhément, elle n'a plus prononcé un mot au sujet de ce cirque, comme s'il n'avait jamais existé !

– Je parie que son comportement pour le moins surprenant coïncide avec la découverte du Vampiratum ?

– Oui, acquiesce le chef de Brumenoire. La nuit suivant la découverte de ce cirque, la reine n'a plus voulu être importunée à partir de vingt-trois heures trente…

– Pour avoir le temps de se rendre au Vampiratum, qui ouvre à minuit.

– J'en ai déduit la même chose, déclare-t-il. Si les vampires apprenaient qu'elle fréquente ce lieu infâme, elle serait reniée sur-le-champ par la communauté !

– Vous voulez que je découvre pourquoi la reine est troublée à ce point ?

– En effet. Une infiltration au Vampiratum s'impose. Le temps presse ; le bruit court que Carmilla perd les pédales !

– Pour passer incognito, elle doit se déguiser, non ?

– J'imagine, sinon elle se ferait lyncher par les monstres, affirme le chef de Brumenoire. Tu n'es pas à l'abri, toi non plus. Demande à Belladona une potion qui te permettra de passer inaperçue.

Ça fait parfaitement mon affaire. Je ne suis pas un as du déguisement, contrairement à Sherlock Holmes !

– Marie-Blodie va se joindre à toi. Ne proteste pas, son rôle consistera à changer les idées de Sa Majesté. Celle-ci apprécie beaucoup ton amie ; j'ai pensé qu'elle se confierait peut-être à elle. Marie-Blodie te préviendra donc du moindre détail qui pourrait faire avancer ton enquête. Ne t'inquiète pas, elle ne sera pas au courant de la teneur de ta mission.

Je pousse un soupir de soulagement. Je ne l'aurai pas dans les jambes !

– J'ai fait croire à Miss Garrott que tu accompagnerais Marie-Blodie pour rapporter des ingrédients à Belladona, fournis, bien sûr, par le sorcier de la reine, poursuit Argus.

Bonne idée.

Deux questions me viennent soudain à l'esprit.

– La reine sera-t-elle là au moment de notre arrivée ?

– Oui. Miss Garrott m'a averti que Carmilla avait seulement cette nuit de libre pour régler des affaires... Précisément le soir où le Vampiratum fait relâche. Drôle de hasard, hein ?

– Effectivement. À propos du cirque, où se situe-t-il exactement ?

– La reine est restée vague. Tu trouveras un moyen de le savoir, je te fais confiance. Tiens-moi au courant de ta mission. Maintenant, va te préparer. Et sois prudente !

Sans tarder, je quitte le wagon et cours vers celui de Belladona.

– Encore toi ! s'étonne la sorcière. As-tu ressenti un autre malaise ?

– Je plie bagage en direction du château de la reine. J'aurais besoin d'une potion qui transforme en monstre.

– Attends un peu, murmure-t-elle en fouillant parmi plusieurs bouteilles. Tiens, voici du Monstrikule. Il te suffit de boire une gorgée pour te transformer. La métamorphose dure deux heures environ, précise-t-elle en me tendant le flacon.

Je la remercie et le glisse dans ma poche.

– J'y pense ! ajoute Belladona. Peux-tu t'enquérir auprès du sorcier de la reine s'il détient de la poudre de sovajon et des feuilles de moviette ? Elles sont très difficiles à dénicher.

– Avec plaisir, dis-je, amusée par la coïncidence. Sycomore se fera une joie de rendre service à une consœur.

– À mon tour de te remercier. Bonne chance, Rouge-Babine !

J'ai la nette impression que je vais en avoir besoin. Dans quelle histoire me suis-je embarquée ?

2
Vampires au bord de la crise de nerfs

Après plus de deux heures de vol, nous passons au-dessus de Lasvegrad, puis nous arrivons en plein désert. Le château en pierre haut de deux étages et flanqué d'une tour est facile à repérer, puisqu'il est situé derrière le parc d'attractions toujours illuminé. Mais, cette fois, les immenses lettres rouges et clignotantes du Parkorifik sont éteintes. Aucun manège ne fonctionne, et le silence est aussi épais que le brouillard qui plane sur Brumenoire. Il fait noir comme chez le diable !

Une chance que Marie-Blodie possède une vision de chat, comme tout vampire qui se respecte ! Nous nous posons à l'arrière du château, dans l'immense cour de sable parsemée de cactus, puis nous reprenons une forme humaine.

Devant l'entrée, Jack l'Édenteur monte la garde.

– En prime, nous sommes accueillies par ce dégoûtant vampire pirate à la jambe de bois, se plaint Marie-Blodie. Charmant !

Jack l'Édenteur a un sourire grimaçant où luisent deux canines jaunies.

– Maître Argus m'a prévenu de votre visite, grommelle-t-il de sa voix éraillée. Que viennent faire ici la petite cousine de la reine et la poupée de porcelaine ?

Il ignore ma véritable identité ; « petite cousine » est le titre que j'avais lors d'une enquête menée ici même.

– C'est personnel, monsieur l'Édenteur. Dites-moi, pourquoi le Parkorifik est-il fermé ?

– Je ne sais pas, ronchonne-t-il en haussant les épaules. La reine a donné congé aux employés du parc pour une durée indéterminée.

– Pourtant, le Parkorifik est très populaire, non ?

– Peut-être que Sa Majesté veut avoir la paix pour lever le coude ? dit-il en sortant d'une poche une bouteille de Château Aorte. Nom d'une quenotte broyée, je bois à sa santé ! clame-t-il en avalant une longue gorgée.

Aussitôt, Marie-Blodie devient cramoisie. Jack l'Édenteur ricane.

– La poupée de porcelaine est offusquée? Tu aurais une syncope si je te révélais un truc... grogne-t-il tout bas dans sa barbe.

Sa remarque ne tombe pas dans les oreilles d'une sourde, mais des jappements m'empêchent de creuser la question. Langue pendante, Plakett arrive au galop. Il court plus vite qu'un guépard ; normal, donc, qu'il nous ait déjà rejointes ! Je détache aussitôt le sac que j'ai fixé à son dos. Il contient mes éprouvettes de sang-dragon et mon équipement de détective, dont un nouveau gadget : un mini-enregistreur pas plus gros qu'une pochette d'allumettes.

Marie-Blodie se lamente de ne pas avoir eu le temps de préparer une malle de vêtements. Je lève les yeux au ciel pendant que Jack l'Édenteur nous laisse entrer avec Plakett. Marie-Blodie se bouche le nez. C'est vrai que le pirate ne sent pas la rose !

Personne ne nous accueille dans le hall imposant aux plafonds garnis de lustres. Le silence est tel que nous entendons nos talons claquer sur le sol en pierre. Soudain, un garçon d'une dizaine d'années surgit de derrière la porte du grand salon et me percute. C'est Niko, le neveu d'Escudo, le comptable.

– Oh ! salut, Rouge-Babine ! Je suis content de te revoir. Avec le Parkorifik fermé, c'est d'un ennui mortel ici, soupire-t-il en caressant mon chien.

Son geste me surprend.

– Tu n'es plus allergique aux animaux ?

– Non. Sycomore a concocté une potion qui m'a guéri. Une chance, parce que mon oncle n'a pas de temps à me consacrer. Il nage dans les chiffres, avec la fermeture temporaire du parc.

– En quoi est-ce une chance ?

– J'ai maintenant un furet pour me tenir compagnie. Enfin, façon de parler : il n'arrête pas de s'échapper. Je le cherche partout. À plus tard !

Tout à coup, Miss Garrott se pointe.

– Mesdemoiselles, je vous attendais ! Marie-Blodie, ça m'étonnerait que tu arrives à changer les idées de Sa Majesté, mais bon…

Toujours aussi cordiale, cette Miss Garrott !

– Mordrelle est là ? s'informe Marie-Blodie.

Il s'agit de la protégée de la reine. Cette jeune fille à la mode plaît beaucoup à mon amie.

– Non, Sa Majesté l'a aussi priée de prendre des vacances. Et moi, je n'y ai pas droit, peut-être ? s'insurge la surintendante. Je suis dé-bordée ! Il n'y a qu'Escudo et Niko au château. Walter est allé renouveler le frigo de la reine, euh… je veux dire la cave du château, bafouille-t-elle en rougissant.

– On peut la voir ? s'enquiert Marie-Blodie. Pas la cave, la reine.

– Hum ! Très drôle, remarque Miss Garrott, sérieuse comme une papesse.

– Miss Garrott ! Où sont les papiers que vous m'avez demandé de signer ?

La reine crie si fort dans le microcasque que porte la surintendante que nous l'entendons nettement.

– Ils sont sur votre bureau, Votre Majesté, répond-elle en levant les yeux au plafond. Il y a des nuits où j'aimerais être ailleurs… murmure-t-elle. Tenez, voici les clés de vos chambres. Moi, j'ai du travail ! ajoute-t-elle en s'éloignant.

– Elle n'a pas répondu à ma question, se plaint Marie-Blodie. Tant pis, faisons une surprise à Son Altesse.

J'opine du chef, même si je pense qu'on tombe comme un cheveu, ou plutôt comme une perruque, sur la soupe !

Nous montons au deuxième étage, où se trouvent les appartements de la reine. Tartar, le gardien des lieux, nous reconnaît et nous laisse passer sans poser de questions.

Des notes en provenance de la bibliothèque résonnent. Je connais l'endroit comme ma poche. Mon amie et Plakett sur les talons, je longe le couloir et frappe à la porte de la grande pièce aux murs couverts de livres. La reine, assise au piano, se retourne.

Bon sang ! Elle me semble encore plus blanche que dans mon souvenir. Une expression tourmentée traverse son visage. Elle paraît si lointaine ! En nous voyant, son visage s'éclaire.

– Marie-Blodie ! Rouge-Babine ! Qu'est-ce qui vous amène au château ?

– Miss Garrott ne vous a pas prévenue ?

Je suis d'autant plus embêtée que Plakett ne cesse de renifler le bas de sa robe. En voilà des manières ! Je m'empresse de l'éloigner, mais la reine n'y prête même pas attention, trop occupée à siffler sa flûte de sang.

– Elle a dû oublier, maugrée-t-elle. Comme elle a dû oublier de vous avertir que le Parkorifik est fermé ? Quel dommage pour vous ! Depuis son ouverture, les employés du parc n'ont pas eu de vacances. Un congé était pleinement mérité, non ?

Je hoche la tête sans rien dire.

– Votre teint pâle me préoccupe, Votre Altesse, réplique Marie-Blodie. J'espère que vous n'êtes pas souffrante ?

Non mais, quelle nouille ! Elle le fait exprès ou quoi ? Cou tendu, poings serrés, la reine se raidit. On dirait une boule de nerfs prête à exploser.

– C'est Argus qui vous envoie, n'est-ce pas ? devine-t-elle en me lançant un regard pénétrant et glacial.

– Il s'inquiète pour vous. Il a pensé que Marie-Blodie vous changerait les idées. J'en ai profité pour l'accompagner, car la sorcière de Brumenoire, Belladona, m'a priée de demander à Sycomore des ingrédients rares. Et, franchement, j'aimerais bien revoir votre sorcier. Mais, si vous le voulez, on peut repartir tout de suite.

– Mais... proteste Marie-Blodie, qui étouffe un cri quand je la pince en douce.

Je retiens mon souffle. La reine me dévisage en sirotant une nouvelle flûte de sang. Je soutiens son regard sans broncher. L'histoire de mon allergie ne l'aurait sûrement pas convaincue ! Je n'ai pas menti, mais je n'ai pas tout dit...

– Belladona, celle qui t'a aidée à combattre l'abominable femme des neiges ? Argus m'en a parlé. Soit ! Sycomore sera heureux de te revoir, il t'aime bien.

– C'est réciproque, dis-je avec un sourire, contente qu'on s'en tire à si bon compte.

– Quant à Argus, il se fait des illusions, comme tout le monde ici, d'ailleurs. Je me porte comme un charme, affirme-t-elle en vidant son verre d'un coup sec.

– Contente de te revoir, Marie-Blodie, déclare-t-elle en se levant. Quoi de neuf ?

– Eh bien, je gère maintenant ma propre boutique à Brumenoire et...

Ça alors ! On dirait deux copines ! Bras dessus, bras dessous, elles se dirigent vers la sortie de la bibliothèque, quand la reine fait volte-face.

– Si je te surprends à fouiner, gare à toi ! me lance-t-elle d'un ton mordant.

Je prends mon air le plus innocent pendant qu'elles gagnent la chambre royale, située dans la tour. Avant de me retirer, je jette un œil au « salon de dégustation », qui se trouve être une cuisine avec un grand frigo. Trois bouteilles vides trônent sur la table. La reine n'y va pas de main morte !

Je salue Tartar au passage, descend l'escalier et marche vers ma chambre, Plakett sur les talons.

Rien n'a changé depuis ma dernière visite. Je m'installe sur le lit à baldaquin, tandis que mon chien se roule sur son coussin. Avant qu'il s'endorme, je l'interroge :

– Pourquoi as-tu reniflé le bas de la robe de la reine ? C'était très malpoli !

– Il y avait une odeur de terre que je n'ai jamais sentie, jappe-t-il.

Tiens, proviendrait-elle de l'immense vallée à l'ouest de Lasvegrad ? Je le note dans mon calepin. « Rien n'est plus important que les détails », répète souvent Sherlock Holmes.

– Et la reine ne sent pas comme d'habitude, ajoute Plakett en grognant.

– Que veux-tu dire ?

– J'ai reniflé des odeurs de plusieurs monstres différents.

Je sursaute. Plakett a un flair infaillible. Voilà la preuve que Carmilla a bien été au cirque. Je remercie mon chien, mais il dort déjà. Le trajet l'a exténué, le pauvre !

Moi, je pars à la chasse aux indices.

3
Entretien avec un sorcier

À l'arrière du château, j'aperçois Jack l'Édenteur qui farfouille dans son cactus-cercueil, une création de Sycomore. Le vampire pirate sort une bouteille de Clos Caillot. Il la décapsule à l'aide de la grosse pince qui remplace sa main droite et boit une gorgée. Je le rejoins.

– Tout à l'heure, vous avez parlé d'un truc qui ferait tomber Marie-Blodie en syncope. De quoi s'agit-il ?

– Hein ? s'écrie-t-il en recrachant le liquide rouge. Tu dérailles, je n'ai jamais rien dit de la sorte !

Il me tourne le dos et retourne à son poste en maugréant.

Pourquoi ment-il ? A-t-il quelque chose à voir avec le drôle de comportement de la reine ? Pensive, je me dirige vers la serre où Sycomore habite. De la lumière luit à travers les carreaux.

Je frappe à la porte. Une minute plus tard, le sorcier m'ouvre. Son expression sérieuse se transforme en un large sourire.

– Rouge-Babine ! s'écrie-t-il en me serrant la main. Entre !

Il est toujours aussi sympa, et son allure n'a pas changé : il porte un complet mauve, une barbiche, un monocle et un chapeau triangulaire d'où émerge une tignasse blanche. Ça m'embête de ne pas évoquer la reine, mais Argus m'a fait promettre de garder mon enquête secrète. Je reste donc muette comme une tombe. Je sais que Sycomore est d'une loyauté sans faille envers Carmilla.

L'odeur épicée qui flotte dans l'air me rappelle quelque chose… Du Mystifiore !

Au cours de ma deuxième enquête, j'ai consommé cet élixir, qui modifie le physique. Il m'a été bien utile. Je m'approche de la marmite au contenu vert et m'étonne :

– Le Mystifiore n'est pas censé être doré ?

– Quelle mémoire ! s'exclame-t-il. En réalité, c'est un dérivé du Mystifiore.

– Ah bon ? Quelles sont ses propriétés ?

– Pourquoi tiens-tu à le savoir ? rétorque-t-il d'un air soupçonneux.

– Par curiosité, tout simplement, dis-je, étonnée de sa réaction.

– Eh bien, je l'ai surnommé Monstrifiore, car ça transforme en monstre. Un confrère me l'a commandé, précise-t-il en évitant mon regard.

De petites bouteilles de forme ovale s'alignent sur la table, attendant d'être remplies du liquide vert.

– Que me vaut ta charmante visite ?

C'est clair qu'il veut détourner mon attention. Je révèle une partie de la vérité :

– Vous rappelez-vous Belladona, mon amie sorcière ? Elle a besoin d'ingrédients difficiles à trouver et elle se demandait si vous…

– Ah bon ! m'interrompt-il avec un sourire. Que désire-t-elle ?

– De la poudre de sovajon et des feuilles de moviette.

Aussitôt, Sycomore ouvre une armoire vitrée remplie d'ingrédients divers. Il y fourrage en marmonnant dans sa barbiche. Pendant ce temps, j'examine les alentours, encore frappée par la quantité de plantes traînant partout dans la serre, même sur son lit. Un très vieux livre attire mon attention, avec sa tête de mort gravée sur la couverture en cuir noir et son titre étrange : *Libro Mortuum*. Je m'approche et m'apprête à le saisir quand Sycomore me tape sur l'épaule. Je saute dans les airs. Son regard est de nouveau suspicieux. Décidément, quelque chose ne tourne pas rond. Il me confie les deux ingrédients, et je le remercie vivement. D'un sourire, il m'indique la sortie. Compris, je dérange !

Ma montre indique quatre heures du matin. Je retourne à ma chambre en me demandant ce que Marie-Blodie fabrique avec la reine. En l'attendant, je range la poudre de sovajon et les feuilles de moviette dans mon sac à dos et sors ma brosse à cheveux.

Me peigner m'aide à réfléchir. Je repense à ce que le sorcier a prétendu au sujet du Monstrifiore : une potion pour un confrère ? Mon œil ! À tous les coups, dans le passé, il a été conçu pour la reine. Mais bon, c'est tout à son honneur de ne rien me dévoiler : ça montre une fois de plus sa fidélité envers Sa Majesté, une vertu qu'il témoignait aussi, paraît-il, au défunt roi des vampires.

Je prends mon calepin et note le nom du livre orné d'une tête de mort que j'ai aperçu chez Sycomore : *Libro Mortuum*. Serait-ce un ouvrage sur les poisons ? Le sorcier n'est pas net, et Jack l'Édenteur non plus. Qu'est-ce qui se passe ici ?

Ma porte s'ouvre à la volée.

– Rouge-Babine ! s'exclame Marie-Blodie, hors d'haleine. Je dois te raconter ma rencontre avec Son Altesse !

Elle a l'air bien énervée. Tout en s'écrasant dans un fauteuil, elle me relate son tête-à-tête avec la reine.

– Je lui ai proposé une virée dans les boutiques de Padovnie, mais elle a décliné mon offre. Elle m'a plutôt laissé fouiller dans sa garde-robe et choisir les tenues qui me plaisaient. Te rends-tu compte ? Je possède maintenant six robes signées Nemrod Blod !

Je soupire. S'énerver pour des bouts de tissu, ça me dépasse. Je suis toujours vêtue d'un col roulé et d'un pantalon rouge, et je me porte très bien.

– Ce n'est pas tout, continue Marie-Blodie. J'ai pu jeter mon dévolu sur dix paires de chaussures. Je n'y crois pas encore, il faut que je me pince… aïe !

– Tu n'as rien de plus intéressant à me révéler ?

– Ne grimpe pas sur tes grands chevaux, mademoiselle la détective, réplique-t-elle. En fait, Son Altesse a continué de s'humecter le gosier pendant que je fouillais dans sa penderie. Elle fredonnait aussi un air qui ne m'était pas inconnu, mais je n'arrive pas à me souvenir lequel…

Qu'est-ce qui peut bouleverser la reine au point de la pousser à boire ainsi ? Elle est, pourtant, un modèle de perfection et de puissance pour tous les vampires. Argus a raison. Si son ivrognerie parvient aux oreilles de la communauté, Carmilla risque d'être détrônée. Je dois découvrir son secret avant qu'il ne soit trop tard. Au risque d'être déçue, je m'informe auprès de mon amie :

– Elle t'a confié quelque chose ?

– Son Altesse m'a conseillé de ne pas traîner, car elle avait un rendez-vous très important.

Mon sang ne fait qu'un tour.

– Un rendez-vous ? Avec qui ? Quand ? Où ?

– Penses-tu que j'ai osé le lui demander ? s'emporte Marie-Blodie. Ce n'est pas mes oignons, et j'avais bien trop la trouille qu'elle me trouve impertinente et me retire tous mes cadeaux !

Cette fille me rend folle. En prenant une grande respiration, je m'enquiers :

– Penses-tu que son rendez-vous soit au château ?

– Ça, non, affirme-t-elle. Quand je l'ai quittée, elle fouillait dans son armoire. Ma curiosité a pris le dessus. Je me suis cachée derrière le chambranle de la porte. À ma grande déception, Son Altesse a choisi une longue cape noire très banale, avec un grand capuchon. Son rendez-vous ne doit pas être important.

– Crois-tu qu'elle est partie ?

– Elle a souligné que son rendez-vous était dans une heure, c'est-à-dire quand le soleil se lèvera. Même si tu le voulais, tu ne pourrais pas la suivre, à moins de brûler vive.

Je feins la déception.

– Dans ce cas, je vais lire une histoire de Sherlock Holmes. Bonne journée de sommeil !

– Merci. Je vais rêver à mes nouvelles toilettes ! se réjouit Marie-Blodie.

Dès qu'elle sort de ma chambre, je m'empare de mes accessoires de détective et les glisse dans mes poches. Qui sait ? Ils me seront peut-être utiles.

– Où vas-tu ? grogne Plakett en ouvrant un œil.

– Mener une enquête, mon cher assistant. Dommage, tu ne peux pas m'accompagner, car le soleil va poindre. Allez, continue de dormir.

Il est quatre heures quarante-cinq. Je gagne la sortie du château et me glisse derrière un coffre. De ma cachette, impossible de rater la reine ! J'ai déduit qu'elle n'irait pas à son rendez-vous en volant, sinon pourquoi aurait-elle pris la peine de mettre une cape ?

Je ne me suis pas trompée : la voilà qui arrive. Ses talons aiguilles cliquètent sur les dalles. La reine passe près de moi, puis ouvre la porte sur l'aube qui montre son nez. Comme le sang du roi des vampires coule dans ses veines, elle possède le pouvoir de sortir le jour. Je suppose qu'elle porte une cape pour passer inaperçue et se protéger au cas où le soleil taperait trop fort.

Dès que Carmilla quitte le porche et s'avance dans la lumière, je franchis à mon tour l'entrée et me tapis derrière un cactus. La porte se referme aussitôt avec un bruit sec.

La reine se déplace avec rapidité, la démarche décidée. Ses pieds frôlent à peine le sol. Sans hésiter, je me transforme en colibri. La filature commence…

4

Une ferme, un furet et un parfum

La filature s'avère des plus monotone : il n'y a que des champs à perte de vue. Après ce qui me semble une éternité, la reine ralentit l'allure devant un vieux panneau portant les mots *Morodan, 999 habitants*. Puis, elle se dirige vers une vieille ferme isolée. Je me tiens à une centaine de mètres derrière elle sans la quitter des yeux.

Carmilla traverse l'immense terrain agricole et se rend à l'arrière du bâtiment. Un fermier y nourrit des poules. Il s'arrête dès qu'il voit la sombre silhouette royale. Je me pose sur une auge à cochons, non loin du duo. Une forte odeur d'oignons se dégage de la salopette couverte de terre du paysan.

– Avez-vous obéi à mes ordres ? s'informe la reine.

– Oui, répond-il. Mais il n'est plus là.

Cette réponse fait vaciller Carmilla. Le fermier la soutient, mais elle se dégage d'un coup sec.

– Voulez-vous jeter un coup d'œil ? suggère-t-il. Ça prendra un peu de temps ; il faut de nouveau que je c…

– non, je vous crois, l'interrompt la reine, l'air désemparée. Comment cela a-t-il pu se produire ?

– J'ai d'autres chats à fouetter que de surveiller mes terres ! s'emporte le paysan.

– Oubliez cette conversation, ordonne-t-elle en l'hypnotisant de ses prunelles émeraude.

Le fermier cligne des yeux, puis recommence à nourrir ses poules. Pendant que la reine quitte les lieux, je vole jusqu'au toit pour examiner les alentours, constitués d'un immense jardin et de champs. Rien d'anormal, quoi ! Qu'est-ce qui « n'est plus là » ? Je n'y comprends rien ! Cela a-t-il un rapport avec le Vampiratum ?

J'abandonne mon perchoir et me rends compte que la reine a une longueur d'avance sur moi. De loin, on dirait un point noir qui se déplace à toute vitesse. Je ne la lâche pas des yeux, car je ne veux pas m'égarer. Je suis peu habituée à sortir le jour, et la fatigue me gagne. Enfin, je repère le château. La reine y entre en coup de vent.

Peu après, j'atterris près de l'entrée arrière et reprends mon apparence habituelle. Bon sang ! La porte est verrouillée. Heureusement, j'ai mon passe-partout. L'air frais du château me revigore. Alors que je marche vers ma chambre, un léger bruit me fige sur place. S'il s'agit de la reine, je suis dans de sales draps !

Je pivote et aperçois… un furet. Le furet de Niko ! Je m'approche.

– Salut ! Je m'appelle Rouge-Babine.

– Que veux-tu ? couine-t-il, l'air apeuré.

– N'aie pas peur, dis-je en lui grattant la tête. Comment t'appelles-tu ?

Autant profiter de ma faculté à comprendre le langage animal !

– Magikus, me répond-il.

Son nom ne me surprend pas, Niko étant un fan de magie.

– As-tu vu la reine ce matin ?

– Oui, il y a quelques minutes à peine. Elle s'est précipitée à l'étage. Elle avait l'air bouleversée.

– As-tu remarqué ses sorties avant aujourd'hui ?

– Oui, mais aucune n'a eu lieu pendant la journée. Les trois dernières nuits, je l'ai vue transformée en chauve-souris qui s'envolait de la petite ouverture au sommet de la tour, couine-t-il. Je l'ai remarquée, car je me suis creusé une niche au pied du bâtiment. Niko ne cesse de m'utiliser pour ses tours de magie et, parfois, j'en ai assez et je me sauve !

Ça me confirme que la reine file en douce. Si je me fie à l'odorat de Plakett, elle ne peut aller qu'au Vampiratum !

Je dépose Magikus devant la porte entrouverte de la chambre de Niko. Le furet s'y glisse, grimpe sur le lit et se colle contre la tête du garçon. Ça me donne juste envie de rejoindre mon chien. Une minute plus tard, je m'écrase sur mon lit comme une grosse patate.

Plakett pousse un grognement et se remet à ronfler. Je l'imite sans tarder.

* * *

Une longue langue me lèche le visage.

– Debout, la marmotte, jappe Plakett. Ouvre-moi la porte pour que j'aille chasser !

Ma montre indique vingt et une heures. Normal que Plakett soit affamé !

Il part comme une flèche. De mon côté, je fouille dans le minifrigo et ingurgite mon éprouvette de sang-dragon. Ma sortie diurne m'ayant affaiblie, j'en avale une autre. Une fois n'est pas coutume !

Des voix résonnent dans le couloir. Je colle mon oreille contre la porte.

– Ne trouvez-vous pas que j'ai une allure folle avec la robe bordeaux que la reine m'a offerte ? s'enquiert Marie-Blodie.

– Hum ! réplique Miss Garrott. J'ai autre chose à faire que de t'admirer. Et défense de déranger Sa Majesté, compris ?

J'ouvre au moment où mon amie tire la langue à Miss Garrott. Son humeur change d'un coup sec dès que je la complimente sur sa tenue.

– J'ai trouvé ce mot sous ma porte, à mon réveil, murmure-t-elle.

Marie-Blodie, peux-tu récupérer un parfum chez Sycomore, le Carmillamor *? Je compte sur ta discrétion. Rapporte-le-moi le plus tôt possible.*

Carmilla

Pourquoi la reine garde-t-elle cette requête secrète ? Cet indice supplémentaire n'est pas pour me déplaire.

– Quelle bonne assistante tu es ! Tu désobéis à la reine ?

– Euh… tu veux bien y aller à ma place ? Je prétendrai que je me suis rendue chez Sycomore. Moi, les sorciers…

Nous y revoilà : le fameux pouvoir des vampires contre celui des sorciers ! Les deux clans ne se supportent pas, chaque groupe étant convaincu d'être supérieur à l'autre. J'avoue que, cette fois, la réaction de mon amie m'arrange ! J'ai l'excuse idéale pour revoir Sycomore, dont l'attitude me turlupine…

Soudain, Niko apparaît avec son furet. Le garçon pointe un doigt vers la robe de Marie-Blodie et chantonne :

– Tu as volé une robe à la reineeeee ! Je vais le lui direeeee !

J'éclate de rire et laisse Marie-Blodie entre les mains du terrible Niko.

***

Derrière la serre, Sycomore cueille les feuilles d'une plante.

– Tiens, Rouge-Babine ! Je te croyais repartie ?

Son ton soupçonneux m'agace.

– Ma présence vous dérange ?

– Euh… non, bien sûr que non. Que vas-tu chercher là ?

Parfois, il vaut mieux ne pas insister, n'en déplaise à Sherlock Holmes. Ça m'embêterait que Sycomore m'envoie sur les roses ! Je change donc de sujet.

– J'ignorais que vous étiez parfumeur. La reine désire du *Carmillamor.*

Le sorcier devient blanc comme sa tignasse.

– Du… LE *Carmillamor ?* balbutie-t-il. Oui, pas de problème, ajoute-t-il en tirant sa barbiche.

Jamais je ne l'ai vu aussi nerveux ! Je lui emboîte le pas et note qu'il n'y a plus la moindre trace de Monstrifiore dans la serre.

Sycomore s'empare d'un coffret poussiéreux traînant sur le haut d'une commode. Il y a un bail qu'il n'a plus servi, ce parfum ! Bizarre.

Le sorcier retire du coffret un petit flacon rouge en forme de cœur. Le nom du parfum est inscrit à la main, à l'encre rubis, sur une étiquette blanche. Sycomore tremble, ma parole !

– Que vous arrive-t-il ?

– Euh... je suis fatigué, c'est tout, marmonne-t-il en s'asseyant.

Je regarde autour de moi pour trouver un remontant. Tiens, le vieux livre que j'avais remarqué à mon dernier passage traîne à présent sur la table. Décidément, ce bouquin semble passionnant.

Je découvre une bouteille de cognac sur une étagère. Je verse le liquide doré dans un petit verre. Le sorcier le vide d'un seul trait.

– Merci, Rouge-Babine. Ce parfum m'a rappelé de vieux souvenirs...

Ses yeux sont embués de larmes. Je lui serre la main en silence.

– Le roi des vampires l'a offert à la reine comme cadeau de mariage, continue-t-il. J'y ai travaillé pendant des mois, car le roi voulait une fragrance unique pour sa dulcinée. Un jour, j'ai enfin trouvé la recette parfaite : ce parfum aurait pu réveiller un mort tellement son bouquet était puissant !

– Quand la reine a-t-elle cessé de l'utiliser ?

– Dès le décès du roi, elle m'a remis le flacon.

– D'après vous, pourquoi veut-elle le récupérer ?

– La vie personnelle de la reine ne me concerne pas, murmure-t-il d'un air gêné.

Oh ! Sycomore pense que la reine a un prétendant ? Il me semble que, si c'était le cas, elle ne s'enivrerait pas ainsi… quoique, en amour, j'imagine que tout est possible !

Sycomore me tend le *Carmillamor* en me priant d'y faire très attention. Je le rassure, puis lui montre le livre sur la table.

– Ce bouquin, il parle de poisons ?

– Hein ? Euh… oui. Certaines recettes requièrent parfois des poisons. Les doses doivent être respectées au millilitre ou au milligramme près. On n'est jamais trop prudent quand on fabrique des potions. Au revoir, Rouge-Babine !

Sycomore m'a encore répondu en détournant le regard. Mais pourquoi me mentirait-il ?

Perdue dans mes pensées, je marche vers le château quand, soudain, on me tire par le bras.

– As-tu récupéré le parfum ? s'impatiente Marie-Blodie. La reine ronge son frein.

– Le voici. C'est un exemplaire unique, fais gaffe ! Et sois tout yeux, tout oreilles, hein ?

– Oui, patronne, ironise-t-elle. Je te reviens aussi vite que possible.

Dès mon retour à ma chambre, je consigne dans mon carnet mon entretien avec Sycomore. Puis, je relis toutes mes notes : les indices recueillis jusqu'à présent n'ont aucun lien ! Je ne dois pas me décourager. Sherlock Holmes ne baisse jamais les bras, lui.

Marie-Blodie entre en coup de vent dans la pièce.

– J'ai eu droit à une confidence : Son Altesse a un autre rendez-vous ce soir. Elle m'a chassée, car elle n'a qu'une heure pour se préparer avant son départ, à vingt-trois heures trente.

À cette annonce, je reprends du poil de la bête.

– Comment la reine a-t-elle réagi quand tu lui as remis le parfum ?

– Elle l'a glissé dans la poche de sa robe. Moi qui pensais avoir droit à quelques gouttes ! Que fait-on maintenant ?

– Toi, je ne sais pas. Moi, je dois partir.

– En mission secrète ? soupire Marie-Blodie.

– Exact. À plus tard !

5
Le Vampiratum

À vingt-trois heures vingt-cinq, tapie au pied de la tour, j'attends la sortie de la reine. Je vérifie de nouveau que j'ai tout mon attirail de détective dans mes poches et la fiole de Monstrikule.

À vingt-trois heures trente pile, Sa Majesté jaillit, sous forme de chauve-souris, de l'ouverture au sommet de la tour. Je remercie tout bas Magikus pour sa précieuse information, car j'ignore l'emplacement exact du Vampiratum. Plakett n'est toujours pas revenu de la chasse. Tant pis.

Je me transforme en colibri et piste la reine. Quand nous survolons le village de Morodan, elle ralentit. Va-t-elle s'arrêter encore une fois à la ferme ? Non, elle reprend de la vitesse. Nous volons depuis un bout de temps quand Carmilla se pose sur la cime d'un sapin. Je me perche un peu plus loin sur un mélèze. Par chance, le ciel est dégagé, et le croissant de lune me permet de bien distinguer les lieux. Toujours juchée sur sa branche, la reine fixe le sol. Des marmonnements parviennent alors à mes oreilles.

Des trolls, des gobelins, des gnomes et des monstres en tous genres se dirigent vers un endroit précis. Je tends le coup et découvre à travers les conifères un chapiteau rayé. Un drapeau à tête de vampire flotte au sommet du toit pointu : voici donc le Vampiratum.

Dès que la voie est libre, Carmilla pique vers la terre ferme et reprend son apparence normale derrière un énorme sapin. Elle retire d'une poche la bouteille de *Carmillamor* ainsi qu'un mouchoir en tissu blanc, sur lequel elle verse quelques gouttes du parfum. De là où je suis, je sens son odeur voluptueuse. La reine cache ensuite le flacon dans l'œil du tronc de l'arbre. Son geste me laisse perplexe.

Le mouchoir dans la main gauche, Carmilla extirpe alors d'une autre poche une fiole ovale au liquide vert : du Monstrifiore, qu'elle ingurgite d'un coup. Elle remet la petite bouteille dans sa poche lorsqu'elle est soudain prise de tremblements. Son corps se transforme en monstre écailleux doté d'une tête de dragon et de pattes velues, aux griffes très longues. Impossible de la reconnaître ! Puis, elle rejoint la queue de monstres.

Je me pose aussitôt au pied du mélèze, reprends une forme humaine et avale à mon tour ma potion. Quel goût… monstrueux ! Je tremble pendant que mon visage et mon corps se couvrent de poils gras. Mes oreilles deviennent longues et pointues. Oh non ! me voilà affublée d'une queue qui pèse au moins dix kilos !

Je me dandine en gagnant la file et je me tiens non loin de la reine. Un détail m'intrigue. Je tape sur l'épaule du troll qui me précède.

– Il n'y a que des monstres qui assistent au spectacle ?

– Tu es nouveau, toi, hein ? On ne risque pas de voir des vampires ici : ils ont horreur des monstres. De toute façon, ce spectacle est trop dégradant pour eux.

– Et les sorciers ?

– Le maître de cérémonie nous a assuré qu'un sortilège plane sur le Vampiratum et le rend invisible aux yeux des sorciers. Quel plaisir de ne pas avoir ces jeteurs de sorts dans les pattes ! Mais il paraît qu'une goule traîne dans le coin...

Je grimace. Une mangeuse de cadavres ? Beurk !

Nous avançons peu à peu. Nous nous engouffrons enfin sous le chapiteau. Éclairé par des lustres à bougies, l'endroit baigne dans une atmosphère mystérieuse. Pour ne pas perdre de vue la reine-dragon, assise au bout d'un gradin, je m'installe dans la même rangée en laissant deux monstres entre nous. Carmilla ne bouge pas d'une écaille, sauf pour triturer son mouchoir.

Quand le chapiteau est plein à craquer, les bougies s'éteignent, et un faisceau blanc éclaire le maître de cérémonie. Il a la peau, les cheveux, les sourcils et les cils blancs. Avec sa haute stature, ses yeux rouges et ses crocs luisants, ce vampire albinos a une allure très spéciale. Il se présente :

– Chers monstres, je me nomme Makabi. Bienvenue au Vampiratum ! Les artistes vous en mettront plein la vue. Mais d'abord, permettez-moi d'exécuter quelques tours de magie.

Ma foi, Niko est capable de réaliser les mêmes : un foulard qui n'en finit plus de sortir de la bouche, un bouquet de fleurs qui apparaît dans une main, etc. Les monstres, eux, sont emballés ; on dirait des enfants ! Seul le dernier tour de Makabi me semble intéressant : d'une boîte, il retire une vingtaine de crapauds endormis et les dispose sur un long banc. Puis, le magicien baragouine une formule, et les crapauds se réveillent. Ils bondissent parmi les monstres, qui sont aux anges. À mes côtés, un troll sautille sur place, ravi d'avoir attrapé un batracien, qu'il enfonce dans sa besace.

– Hi ! hi ! J'adore ce tour, ricane-t-il. Hier soir, il a utilisé des rats !

Certains vampires contrôlent plusieurs animaux : les loups, les chiens, les chacals… Alors, pourquoi pas des crapauds ?

Dès que le calme revient, Makabi annonce le prochain numéro : les télépathes Taki et Waki vont se produire sur scène. Des siamois asiatiques très élégants apparaissent sur la piste. Ils suscitent beaucoup de grognements et de rires.

Taki sollicite la collaboration d'un monstre. Avec toutes les pattes griffues qui s'élèvent pour participer au numéro, on se croirait à la petite école ! Makabi en choisit un au hasard et l'invite à dessiner ce qu'il désire sur une feuille. Pendant ce temps, les yeux fermés, les frères se concentrent.

– C'est grand, taché et doté de crocs, lance soudain Taki.

– Il s'agit d'une girafe vampire, devine Waki.

– Oui ! hurle le monstre en montrant son dessin aux spectateurs.

Hum… ce numéro est peut-être truqué. Un gobelin aux dents plus pointues que les aiguilles d'une montre lui arrache le papier des pattes et se met à griffonner à son tour. D'après moi, ce n'était pas prévu. Les siamois se recueillent de nouveau.

– Je dirais que c'est un requin… commence Taki.

– ... entre deux tranches de pain ? finit Waki.

– Oui ! J'aime ce poisson ! lance le gobelin.

L'assistance éclate de rire pendant que les frères siamois demandent aux spectateurs qui le souhaitent de penser à leur nom et de se lever. Dès que mon voisin se met debout, Taki déclare :

– Vous vous appelez… Affrozit.

Le troll pousse un cri de surprise. À partir de ce moment, Taki et Waki livrent toute une performance. Une cacophonie de rugissements ravis salue leur sortie de scène.

Les frères siamois cèdent leur place à un nain, Oculus. Sa laideur suscite les grondements réjouis de l'auditoire. Je jette un œil à la reine : elle fixe la piste sans broncher. On dirait qu'elle attend quelqu'un.

– Je suis le nain le plus fort du monde ! proclame Oculus. J'ai besoin de deux gros monstres pour exécuter mon numéro. Qui veut se prêter au jeu ?

Un silence s'ensuit. Sentirais-je de la peur ? Voilà qui est amusant !

Finalement, deux monstres énormes arrivent sur la piste. Le sol tremble sous leurs pattes. Oculus présente ses paumes et invite les deux mastodontes à s'y asseoir. Il les soulève ensuite comme s'ils pesaient une plume ! Des « oh ! » respectueux retentissent dans l'assistance.

Ensuite, Oculus commence à jongler avec eux. C'est ahurissant ! Il clôt son numéro en les déposant avec délicatesse sur le sol, sous des acclamations fort méritées.

La reine applaudit du bout des griffes. Que diable fait-elle ici si le spectacle l'ennuie à ce point ?

– Le prochain numéro est unique au monde ! clame Makabi. Veuillez accueillir madame Mastoka, la femme-éléphant !

Une vampire obèse apparaît. Elle est assise dans un énorme fauteuil à roulettes, qu'elle déplace avec des bras gros comme des troncs d'arbre. Elle rappelle, en effet, un éléphant. Pas seulement par sa taille, mais aussi par sa peau plissée et son étrange nez semblable à une trompe.

Un projecteur éclaire son visage pendant que Makabi lui allume un cigare, duquel elle tire une longue bouffée. À part quelques pets ici et là, le silence règne sous le chapiteau. Tout à coup, des volutes de fumée se dégagent de sa trompe. Elles prennent des formes merveilleuses : celles d'un dragon, d'une licorne, d'une sirène…

– Je veux voir un crocodile qui danse en tutu ! crie un troll.

Madame Mastoka inspire une autre grande bouffée de cigare, ferme les yeux et exhale un long filet de fumée. Ça alors ! On voit même le crocodile exécuter des entrechats ! La femme-éléphant réalise deux autres souhaits du public, puis sort de scène. Les applaudissements sont frénétiques. Cette fois, la reine applaudit à pleines pattes.

– Maintenant, voici le plus vieux pianiste du monde, le virtuose Darkov !

Le vampire est tout de noir vêtu, et une cape flotte sur ses épaules. Il est ridé comme une vieille pomme et maigre comme un clou de cercueil. Malgré tout, il en impose. En claudiquant, il se dirige vers un piano. Un seul spot rouge éclaire l'instrument et son artiste. Darkov fait craquer des doigts qui n'en finissent plus. Ça résonne de façon lugubre sous le chapiteau. Puis, le vampire commence à jouer, recroquevillé sur son clavier.

Tout le monde est sous le charme de ses notes, qui s'envolent comme des papillons. Par réflexe, j'enregistre la mélodie sur mon mini-enregistreur. Je vois soudain le cou écaillé de la reine se tendre quand Darkov joue sur un autre tempo. Seraient-ce de fausses notes ? Pourtant, son morceau terminé, il a droit à une ovation debout.

Je rêve, des monstres essuient des larmes ! La reine n'applaudit pas. Elle suit des yeux le virtuose, qui sort de la piste, aussi lent qu'une tortue.

– Je vous présente les clowns Koko, Kéri et Bozo, qui vont clore le spectacle, annonce Makabi.

Les monstres hurlent de joie en voyant les clowns juchés sur des monocycles, vêtus de combinaisons de travail rayées. Tous les trois ont le même maquillage : un nez rouge, un grand sourire blanc et des sourcils noirs en accent circonflexe. Une lettre différente est imprimée sur le dos de chaque combinaison : B, D et C. Que signifient-elles ?

Sous le chapiteau, les clowns roulent comme des dératés. Quand ils se pincent le nez, les tubes verticaux des monocycles s'élèvent ou descendent à volonté en produisant des bruits de trompette. Le clown à la lettre C fonce comme un fou près de moi, dans l'étroit espace séparant les gradins. Là, je vois la reine le fixer dans les yeux, lui souffler quelque chose à l'oreille, puis glisser son mouchoir dans la main gantée du clown. Celui-ci le fourre aussitôt dans sa poche, puis va illico retrouver ses compères sur la piste. Ça s'est déroulé si vite que je crois avoir rêvé !

Les trois clowns se réunissent devant une table et saisissent chacun une boîte de carton, avant de repartir sur les chapeaux de roue. Tout en pédalant, ils ouvrent les contenants et en sortent des tartes de boue, qu'ils lancent sur l'assistance. Splitch ! splatch ! sploutch ! J'évite de justesse une tarte, que mon voisin reçoit en pleine figure. Les monstres trépignent de joie.

Une musique entraînante commence à jouer, annonçant la fin de la représentation. Avant de quitter la piste, Makabi invite le public à revenir voir le spectacle. La reine a déjà quitté les gradins et s'approche de la sortie. Elle semble très pressée. Je m'apprête à la suivre quand un monstre glisse sur un morceau de tarte et me renverse. Les quatre fers en l'air, je perds ma cible de vue. Furieuse, je me relève tant bien que mal, empêtrée dans ma queue et mes grosses pattes, tandis que le monstre rit à gorge déployée. Ses dents sont si longues que je me retiens de l'envoyer promener. Où est la reine ?

À ma sortie du chapiteau, je suis frappée par la noirceur des lieux. La lune s'est cachée, et une pluie froide tombe en tambourinant sur le chapiteau. Je n'aperçois la reine nulle part parmi les monstres qui se dispersent sans tarder dans la forêt. Je reviens sur mes pas pour explorer le chapiteau, mais l'entrée en toile est déjà close par une fermeture à glissière.

– C'est interdit de voir les vampires après le spectacle, me renseigne un gnome moche comme un pou. Il n'y a pas d'autre ouverture, je l'ai vérifié. Quel dommage, hein ? Ça me réjouit de voir des vampires de la sorte. Pour une fois qu'ils ne se prennent pas pour les nombrils du monde nocturne !

Le gnome s'éloigne à son tour tandis que la pluie s'intensifie. Frissonnante, je rejoins le sapin où la reine s'est transformée : la bouteille de parfum s'y trouve toujours. Carmilla a dû partir rapido, car sa métamorphose devait prendre fin. Voilà probablement pourquoi elle était si impatiente de quitter le chapiteau. Sans hésiter, je récupère le précieux *Carmillamor.* Pas question qu'un inconnu mette la main dessus !

Ça y est, je commence à trembler. Dès que je retrouve mon allure habituelle, je me transforme en colibri. Direction, le château !

6

Panique au château !

Mon retour est pénible. La pluie déchaînée ralentit mon vol. Grâce à un éclair qui traverse le ciel, je distingue enfin le château. Je me pose derrière un cactus et reprends mon apparence normale. Je suis trempée jusqu'aux os. Un regard à ma montre m'indique qu'il est trois heures du matin. Au même moment, des jappements retentissent. Plakett a l'air bien énervé.

– Où étais-tu passée ? Marie-Blodie te cherche partout !

Je soupire. Pour la discrétion, on repassera ! Nous courons nous mettre à l'abri. À peine entrés, Miss Garrott m'interpelle :

– Quelle idée de sortir par un temps pareil ! Je te préviens, dès son lever, la reine a exigé qu'on ne la dérange sous aucun prétexte. Est-ce bien clair ?

– Aussi brillant que mille soleils.

– Hum ! répond-elle en tournant les talons.

Je n'ose imaginer sa réaction si elle savait que la reine et moi agissons dans son dos !

Dans ma chambre, j'ôte ma cape détrempée et m'enroule dans une couverture pendant que Plakett se réfugie sur son coussin. Je m'installe pour noter tous les détails de ma soirée au Vampiratum. Pourquoi la reine a-t-elle donné son mouchoir au clown dont la combinaison porte la mystérieuse lettre C ? Serait-ce son prétendant ? Si les vampires apprenaient que Sa Majesté est amoureuse d'un clown, elle perdrait toute crédibilité à leurs yeux. À moins que ce clown soit de mèche avec la reine ? Mais pour quel mobile ? Une citation de Sherlock Holmes me revient à l'esprit : « Il ne faut pas se baser sur des suppositions, mais sur des faits. » Sauf que, depuis le début de mon enquête, les faits ne courent pas les rues !

Ma porte s'ouvre d'un coup sur une Marie-Blodie plus sérieuse que jamais.

– L'heure est grave, décrète-t-elle. La reine n'est pas dans ses appartements.

Je lève les yeux au ciel.

– Comment peux-tu l'affirmer ? Elle ne veut être dérangée sous aucun prétexte.

– Pffft ! J'ai offert à Tartar une bouteille de Clos Caillot que j'ai « empruntée » à la cave, avoue mon amie. Il m'a laissé passer avec un grand sourire. Je tenais mordicus à montrer à Son Altesse combien sa robe rouge me va à ravir.

– Et alors ?

– Je te répète qu'elle n'est nulle part. J'ai regardé *partout*. Jusqu'au fond de sa garde-robe. J'ai cru qu'elle était présente, car j'entendais du piano, mais il s'agissait d'un enregistrement. Le morceau jouait en boucle. C'était, d'ailleurs, celui qu'elle fredonnait hier et…

– attends une minute, dis-je en sortant de ma poche mon mini-enregistreur.

Je rembobine la mini-cassette et appuie sur le bouton de lecture.

Les notes aériennes de Darkov résonnent dans la chambre.

– C'est la même pièce ! s'étonne Marie-Blodie. Où l'as-tu entendue ?

– Je ne peux pas te le révéler.

Les yeux fermés, Marie-Blodie écoute avec attention.

– Ces trois notes-là ne font pas partie du morceau !

– Comment le sais-tu ?

Je suis nulle en musique, à l'inverse de Sherlock Holmes.

– C'est un Nocturne de Chopin, l'opus 9 n° 2.

Devant mon air ébahi, elle s'explique :

– Mon père adorait ce compositeur. Il l'écoutait nuit après nuit. Reviens un peu en arrière… Ici. Écoute bien.

Ça me revient, maintenant. C'est à ce moment-là que la reine a semblé tendue.

Ces fausses notes lui ont déplu, je suppose. Normal, si elle connaît le morceau par cœur.

– Ce n'est pas tout, poursuit Marie-Blodie. Regarde ce que j'ai découvert dans la chambre de Son Altesse. Je crois qu'elle se drogue !

Au premier coup d'œil, j'identifie trois fioles de Monstrifiore. D'après mes calculs, la reine a vu *quatre* spectacles au Vampiratum, en comptant celui de ce soir. Alors, où est la quatrième bouteille ? Je me rappelle très bien qu'elle l'a glissée dans sa poche avant sa transformation…

Bon sang ! La reine n'est jamais revenue au château ! Voilà pourquoi son parfum se trouvait toujours dans sa cachette. Que lui est-il arrivé ? Je dois prévenir Argus, et vite.

Comme le désarroi de Marie-Blodie fait peine à voir, je tente de la rassurer :

– Je doute que la reine soit toxicomane. Portée sur la bouteille, peut-être, mais ne t'inquiète pas, c'est une grande fille.

– Si tu le dis… murmure-t-elle. Je n'en parle pas aux autres, alors ?

– Surtout pas. Va essayer tes nouvelles robes, ça te changera les idées avant de dormir. Une bonne journée de sommeil nous sera bénéfique.

Dès que Marie-Blodie quitte ma chambre, j'écris un mot à Argus. J'ouvre ma fenêtre et appelle Corbillard, le corbeau-camelot. L'orage gronde toujours. L'oiseau se pointera-t-il malgré le mauvais temps ?

Je songe à regagner le Vampiratum, mais on ne m'ouvrira pas, le gnome a été assez clair là-dessus. Comment entrer dans ce lieu protégé ? Une soudaine et folle idée me vient à l'esprit.

Cette fois, j'écris à Belladona. Alors que je termine mon message, je perçois des battements d'ailes. Corbillard, trempé, se perche sur le bord de la fenêtre.

– Croââ ! Tu m'as appelé ?

– Oui. Merci d'avoir bravé la tempête. Livre ces messages à Brumenoire le plus vite possible, dis-je en les glissant dans son bec.

Le corbeau-camelot s'envole aussitôt. Enroulé sur son coussin, Plakett dort comme un loir.

Je ferme les volets et prends exemple sur mon chien. Il est préférable que j'aie une bonne journée de sommeil. Sherlock Holmes le répète souvent : « Un esprit sain dans un corps sain. »

Une chose est sûre, dès le coucher du soleil, je retournerai au Vampiratum.

* * *

Je suis réveillée par des cris. Les sens en alerte, Plakett bondit vers la porte.

Ma montre indique dix-neuf heures. J'ouvre et j'entends Niko hurler.

– La reine a disparu !

La nouvelle se répand à la vitesse de l'éclair. Tout le monde se rassemble dans le grand salon. Chacun y va de son commentaire.

– La reine doit être partie en voyage, suppose Marie-Blodie.

– Sans prévenir ? Jamais de la vie ! proteste Miss Garrott. Jack, avez-vous questionné Sycomore comme je vous l'ai demandé ?

– Il n'est pas là. Une note est collée sur sa porte : *parti faire des courses.*

– Sa Majesté ne serait pas à son casino ? s'enquiert Escudo.

– J'ai déjà communiqué avec l'Empira V ; personne ne l'a vue, s'alarme la surintendante.

– Ne nous affolons pas, lance soudain une voix que je reconnais illico.

– Maître Argus ! s'exclame Miss Garrott d'un air soulagé. Qui vous a prévenu ?

– Peu importe. La reine a-t-elle des rendez-vous ce soir ?

– Oui ; elle doit rencontrer une firme pour l'achat d'un autre casino et...

– je m'en occupe, Miss Garrott. Regardez-moi tous ! ordonne alors Argus en dardant ses prunelles grises sur les vampires.

Je reconnais ce regard hypnotique et baisse aussitôt la tête.

– Tout va bien, prononce-t-il avec lenteur. La reine est en sécurité. Elle sera bientôt de retour parmi nous, il n'y a pas de raison de s'inquiéter. M'avez-vous compris ?

Chaque vampire hoche la tête.

– Dans ce cas, retournez vaquer à vos occupations.

Dès que le groupe quitte la pièce, Argus s'approche de moi.

– Je crois aussi que la reine est retenue au Vampiratum. Il est bien situé dans l'immense vallée à l'ouest de Lasvegrad ?

– Oui ; le chapiteau est planté dans une forêt de conifères.

– Je vois. J'imagine que tu as un plan, sinon Belladona ne m'aurait pas confié ce colis pour toi, suppose-t-il en me tendant un paquet.

D'un sourire, je le remercie.

– Puis-je t'aider de quelque manière que ce soit ?

Je réfléchis, sort mon carnet de ma poche et le feuillette.

– Que signifient les mots *Libro Mortuum* ?

– *Le Livre des Morts*, traduit-il avec un drôle d'air.

Sycomore m'a aussi menti sur ce bouquin. Pourquoi ?

– Merci, Maître Argus. Je reviendrai avec la reine, foi de Rouge-Babine !

– J'ai confiance en toi, murmure-t-il en me serrant l'épaule.

Son assurance à mon égard me donne des ailes. Je cours me préparer. D'abord, j'avale ma mixture de sang-dragon, pendant que Plakett file se nourrir de son côté. Puis, j'ouvre le colis de Belladona. Il contient un long imperméable élimé et deux fioles. L'une semble avoir fondu tellement elle est déformée ; l'autre, de forme oblongue, contient un liquide bleu. Un mot les accompagne :

Chère Rouge-Babine,

Voici, comme demandé, un vieil imper. Attention, le Diformozo risque d'être douloureux. Un bouchon par transformation. Durée illimitée.

Le liquide bleu ci-joint, le Konforma, te rendra ton apparence normale. N'abuse pas de toutes ces potions ; j'ai peur que ça influence tes pouvoirs futurs. Prends garde à toi.

Ton amie, Belladona

Mon plan se précise dans ma tête. Je délaisse ma cape pour enfiler l'imperméable. Parfait, il cache bien ma tenue. Je glisse les fioles dans une poche, et mon attirail de détective dans une autre. Il est près de vingt heures, je n'ai pas de temps à perdre. Des jappements retentissent soudain sous ma fenêtre.

– Tu viens ? aboie Plakett. Je suis en pleine forme !

– J'arrive !

7
Rencontres au sommet

À quelques mètres du Vampiratum, je me pose dans la forêt de conifères et reprends mon aspect habituel. Avec le ciel couvert, on n'y voit goutte. Je distingue la silhouette du nain Oculus qui balaie l'entrée du chapiteau. Tiens, voilà Plakett. Il arrive au galop, mais ce poids plume est aussi silencieux qu'une souris ! Je lui murmure à l'oreille :

– Si la reine a été kidnappée, on devrait repérer des traces de lutte aux alentours du chapiteau.

Dès que nous ne sommes plus dans le champ de mire du nain, j'allume ma lampe stylo, très discrète. La pluie de la nuit dernière ne pouvait mieux tomber. Dans une flaque de boue se dessinent des empreintes d'escarpins à talons aiguilles. Il ne peut s'agir que des traces de la reine, car j'imagine mal madame Mastoka avec de telles chaussures… et encore moins des monstres ! Je détecte aussi plusieurs grandes empreintes de souliers qui se chevauchent. La reine a dû donner du fil à retordre à son agresseur.

Alors que je cherche d'autres traces, sans succès, Plakett se met à grogner. À une branche basse d'un mélèze est accroché un mouchoir blanc dont je reconnais aussitôt le parfum tenace : le *Carmillamor*.

À l'aide d'une pince, je retire le bout de tissu, que je dépose sur une feuille de papier. Je verse dessus une poudre conçue pour « lire » les textiles. Les traces de doigts en forme d'étoile de la reine apparaissent, ainsi que des empreintes moins claires : on dirait les dessins stylisés d'un serpent ou d'un lézard.

Qui peut posséder de telles marques ? Impossible que ce soit l'un des clowns, car ils portent des gants. Et si c'était un monstre ?

Je glisse le mouchoir dans un sachet et range mon attirail.

– Plakett, voici la preuve que la reine a été séquestrée par une obscure créature quand elle a repris sa forme normale. Sens-tu sa présence ?

Le museau levé, mon chien renifle.

– Oui, grogne-t-il en pointant sa truffe vers le Vampiratum. Grâce à l'odeur puissante du parfum, la piste est facile à suivre.

Il est temps de mettre mon plan à exécution. La seule façon de pénétrer dans le cirque, c'est de faire partie de la troupe. Je sors le flacon de Diformozo, en remplis le bouchon et avale la potion.

Des spasmes soudains et violents secouent mon corps. Je me mords la main pour ne pas hurler de douleur. J'ai la sensation atroce que ma colonne vertébrale se démantibule. Bon sang ! Je suis bossue ! En prime, mon nez s'allonge, mon front s'élargit et mes dents deviennent croches. Puis, j'ai la désagréable impression qu'on m'arrache les cheveux. Je crains de m'effondrer tellement mon corps entier est sensible. Je prends de grandes respirations jusqu'à ce que le mal s'estompe enfin.

– Je ne te reconnais plus, gémit Plakett en se frottant contre moi.

Parfait, ça me rassure. Je flatte mon chien pour l'apaiser. Il n'a pas besoin d'être transformé : avec son allure de squelette, il ne fera pas tache ! Je me déplace vers le Vampiratum d'un pas maladroit. Difficile d'avoir une démarche assurée, avec ma bosse !

Dès qu'il me voit, Oculus cesse son balayage. Je lui souris.

– Une vampire bossue ? s'étonne-t-il. Ma pauvre, je te plains ! Tu tombes à pic, un des artistes est souffrant. As-tu un talent quelconque ?

Sans attendre ma réponse, il continue :

– Sinon, je vais t'apprendre à jongler. Allez, viens avec moi.

« Observe et déduis », dirait Sherlock Holmes s'il était à mes côtés. Je note aussitôt que le nain a de grands pieds. Le cirque baigne dans le silence ; les artistes brillent par leur absence. Où sont-ils tous ?

Le nain traverse la scène jusqu'au fond du chapiteau. Derrière un long pan de tissu rouge et noir accroché à la cloison se cache une échelle. Devant mon air surpris, il me renseigne :

– Tu vois le plafond plat ? Nous habitons dans le toit. C'est une idée du patron. Il y tenait mordicus. C'est une cachette très sûre, avec sa toile indéchirable et imperméable, dont l'épaisseur bloque le son et la lumière. Passe-moi ton chien.

Plakett sous le bras, le nain escalade l'échelle avec une facilité déconcertante. Je grimpe à mon tour en grimaçant. Pas facile, avec ma bosse ! Oculus ouvre une fermeture à glissière et disparaît de ma vue. Quand j'arrive enfin au sommet de l'échelle, le nain me tend la main.

Je pose les pieds sur une surface cernée par huit chambres en toile, chacune dotée d'une fermeture à glissière en forme de porte et d'une sonnette. Une plaque indique quel artiste y habite.

– Pourquoi certaines pièces ne sont-elles pas identifiées ?

– Parce qu'elles sont vides, explique Oculus. Le patron est prévoyant. Si jamais il t'engage, tu auras ta chambre, ajoute-t-il en s'arrêtant devant celle de Makabi.

Se mettant sur le bout des pieds, il appuie sur la sonnette. Quelques instants plus tard, la fermeture à glissière s'ouvre sur le vampire albinos. Celui-ci est encore plus impressionnant de près, avec sa pigmentation très claire, sa pilosité décolorée et ses yeux rouges.

– Que veux-tu, Oculus ? maugrée-t-il. Je t'ai pourtant averti que je ne voulais être dérangé sous aucun pr… Mais qui es-tu, toi ? s'étonne-t-il en me fixant de ses prunelles rubis.

Ses yeux ont des mouvements incontrôlés qui me déstabilisent. Je détourne le regard et me rends compte qu'il a, lui aussi, de grands pieds ! Bon, il est temps de vendre ma salade.

– On m'appelle Bossanova. À cause de ma bosse, mais aussi parce que je fais danser les objets : je suis télékinésiste de naissance. J'ai entendu des monstres parler des artistes du Vampiratum et de leurs numéros, et j'aimerais intégrer votre cirque. J'en ai assez de vivre en recluse. Voici mon chien, Skelett.

Pendant que Plakett me fait les gros yeux, Makabi me tourne autour.

– Intéressant, d'autant plus que nous n'avons pas de jeune fille dans le spectacle. Télékinésiste, dis-tu ? Montre-moi de quoi tu es capable.

J'examine la pièce, qui ne comprend qu'un lit, une table, une chaise, un minifrigo, une commode et quelques livres. C'est alors qu'un bang ! retentit, suivi de plusieurs grattements.

Plakett grogne. Devant mon air inquiet, Makabi me rassure.

– Des branches cognent contre le toit.

J'oublie vite ce détail et fixe un bouquin sur la table. Une chaleur se propage dans mes yeux. Tout à coup, le livre vole dans ma direction. D'un geste vif, je l'attrape. Une photo en tombe. J'ai juste le temps d'entrevoir le visage d'une jeune femme avant que Makabi saisisse le cliché au vol et le glisse dans sa poche.

– Tu remplaceras Darkov ce soir, décide-t-il. As-tu déjà pensé à un numéro ?

J'opine de la tête, même si je n'en ai qu'une idée très vague. Pourquoi Plakett renifle-t-il avec insistance la chaise et le lit ? Makabi a remarqué son manège. Gênée, je siffle mon chien, qui me rejoint illico.

– Il t'obéit au doigt et à l'œil, ça me plaît. Il fera partie de ton numéro. Si le charme opère avec les monstres, je te garderai. Oculus, présente Bossanova aux autres, je suis occupé.

Dès que nous sortons de la pièce, Makabi zippe sa porte. Du coin de l'œil, je note que la plaque de la chambre voisine ne porte aucun nom. Oculus s'arrête devant la pièce des frères

Taki et Waki. Comme la fermeture à glissière est ouverte, le nain s'annonce :

– Toc, toc ! Les gars, voici Bossanova, une télékinésiste. Elle remplace Darkov.

– Enchanté, répondent-ils en s'inclinant.

J'ai un mouvement de recul. Et s'ils lisaient dans mes pensées ?

– Ne t'inquiète pas, on ne peut pas lire les pensées des vampires ni celles des sorciers, affirme Waki.

– Une chance, sinon ce serait invivable ! précise Taki.

– En effet, approuve Waki. C'est très difficile d'entendre les pensées de tous les monstres pendant les numéros. Après le spectacle, on a la paix. Et puis, c'est chouette de vivre ici ; on forme un clan très serré, où personne ne juge personne.

Si les vampires « normaux » pouvaient les accepter… autant demander la lune ! Pendant que Plakett se laisse flatter de bonne grâce par les frères siamois, je constate que leurs pieds sont minuscules. C'est donc un, euh… deux suspects à rayer de ma liste. À moins qu'ils n'aient donné l'ordre d'enlever la reine ? Bon sang ! Si je connaissais le mobile du crime, ce serait plus facile d'orienter mes recherches !

Très polis, Taki et Waki s'inclinent de nouveau quand nous quittons leur pièce. Ensuite, Oculus m'ouvre la porte de la sienne : tout y est réduit ; on se croirait dans la chambre d'un petit garçon. Par contre, le long sabre accroché au mur me flanque la chair de poule. Que diable fabrique-t-il avec une arme pareille ?

Nous poursuivons notre visite. Dès qu'ils nous voient, les clowns éclatent de rire.

– Je ne les trouve pas drôles, ces zigotos, grogne Plakett. Tu as vu leurs crocs ?

En effet, leurs canines ne me donnent pas envie de rire.

Le premier clown se retourne en montrant du doigt la lettre B qui figure sur son dos.

– Koko ne s'exprime que par des blagues, explique Oculus.

– L'autre jour, j'ai été chez le docteur, parce que je me sentais… tout drôle.

– Wouaaaaah ! s'esclaffent ses compères.

Kiri pivote à son tour, pointant du doigt sa lettre D.

– Une devinette ? dis-je.

Il hoche la tête si fort que j'ai peur qu'elle se décroche !

– Qu'est-ce qui est invisible et qui sent le moisi ?

– Je l'ignore.

– Un pet de zombie.

– Wouaaaaah ! hurlent de rire les deux autres clowns.

Cette devinette m'arrache un sourire. Puis, c'est au tour de Bozo, dont la combinaison porte la lettre C : pour charade, je présume. C'est le clown à qui la reine a confié son mouchoir…

– Mon premier souffle parfois très fort, commence-t-il. Mon deuxième est encore plus grave. Mon tout adore le sang.

– Euh… vampire ?

Ses yeux et sa bouche deviennent ronds comme des ballons de plage. Koko et Kiri sont aussi figés par la surprise.

– Ils n'ont pas l'habitude qu'on leur donne la bonne réponse, explique Oculus.

Quels clowns curieux ! Je me demande qui se cache derrière le maquillage de Bozo. Je profite de son immobilité et lui tire le nez. Il hurle de douleur, pendant que Koko et Kiri, furieux, nous poussent à l'extérieur de la pièce.

J'ai juste le temps de m'excuser avant de me voir fermer la porte au nez. J'ai cru que c'était un déguisement !

– J'aurais dû te prévenir, murmure Oculus. Ce sont de *vrais* clowns, ils sont nés comme ça : avec la peau blanche, des sourcils noirs en forme de triangle et une grande bouche rouge. Ils sont très pointilleux sur leur physique, mais bon, tu t'es excusée ; ils devraient décolérer assez vite.

Oups ! Si j'avais su !

– Il me reste à te présenter madame Mastoka, m'annonce le nain.

Comme on se trouve à deux pas de la chambre de Darkov, je tente ma chance.

– J'aimerais bien saluer le virtuose.

– Il souffre beaucoup, proteste le nain. Le patron a ordonné de ne pas l'importuner.

– Allez, juste un petit bonsoir pour qu'il sache qui le remplace ce soir…

– Après tout, ça ne lui fera pas de mal, décide Oculus. De toute façon, le patron n'en saura rien, Darkov est muet comme une tombe. C'est un drôle de type, on ignore d'où il sort.

Oculus sonne à la porte du pianiste. Pas de réponse. Le nain murmure un mot, puis ouvre la fermeture à glissière. C'est lugubre, il n'y a qu'un cercueil fermé.

– Il dort. Laissons-le tranquille, recommande Oculus.

Du coin de l'œil, je remarque que Plakett renifle la terre autour du cercueil.

Soudain les frères siamois appellent le nain :

– Oculus, nous avons besoin de tes muscles !

– J'arrive ! crie-t-il en quittant la pièce.

– Je vais fermer la porte derrière moi, lui dis-je.

Je n'ose ouvrir le cercueil, car les vampires âgés ont horreur d'être réveillés. Par contre, je dépose à toute vitesse dans un sachet un échantillon de terre. En le faisant analyser par le docteur Plasmak, je connaîtrai la provenance du virtuose. Les vieux vampires transportent toujours avec eux de la terre de leur village natal pour y puiser des forces. À défaut de le rencontrer, j'obtiendrai au moins cette information. La reine semble fascinée par le morceau qu'il joue ; or, comme le dirait Sherlock Holmes, « le moindre détail peut être crucial ».

Je referme la fermeture à glissière en songeant aux pièces vides. Je parie que la reine est retenue dans l'une d'elles. Je le vérifierai dès que l'occasion se présentera. Voilà déjà Oculus qui revient. Il prend Plakett sous son bras.

– Cette fois, je t'emmène rencontrer madame Mastoka. Elle possède une loge dans les coulisses.

Qui sait, je récolterai peut-être des indices auprès de la femme-éléphant ?

8
Viva Bossanova!

Après les présentations, Oculus nous laisse en tête-à-tête. Dans son fauteuil roulant spacieux, en velours rouge, madame Mastoka sirote un verre de sang. Elle m'en offre un, que je refuse poliment.

– Pauvre petite ! s'exclame-t-elle d'une voix haut perchée. La nature ne t'a pas choyée, toi non plus. Mais tu verras, la scène, c'est magique ! On ne ressent plus le rejet, on se sent enfin apprécié.

– Monsieur Makabi respecte ses artistes, ou je me trompe ?

– Tu vois juste. Étant lui-même différent, il sait que ce n'est pas facile qu'on nous accepte comme nous sommes. Ici, nous formons un clan très uni.

Tiens, les frères siamois ont aussi employé le terme de « clan ».

– D'autres artistes se produisent-ils dans ce cirque ?

– Euh... non. Darkov s'est joint à nous il y a deux semaines, précise-t-elle. Sa musique me transporte.

Pourquoi a-t-elle hésité ? Y aurait-il une autre « créature » cachée dans l'une des pièces vides ? Je me rends compte que madame Mastoka me dévisage.

– Tu penses à ton numéro ? s'enquiert-elle. Une chose est sûre, ce n'est pas moi que tu pourras déplacer dans les airs !

Son autodérision me surprend.

– Tu sembles étonnée. Il vaut mieux prendre la vie éternelle en riant, sinon ce serait insupportable.

Elle a bien raison. Je remarque alors un journal sur sa table de maquillage. Il s'agit d'un vieil exemplaire du *Vampyr Express*. En le feuilletant, je remarque un article sur le couronnement de Carmilla à la suite du décès de son mari, le prince des ténèbres. Une photo floue du couple accompagne l'article.

– J'aime lire les potins, avoue madame Mastoka en rougissant. Le cirque ne dispose pas d'adresse fixe ; il est donc impossible de se faire livrer des revues ou des journaux. J'ai découvert ce journal pendant le déchargement du matériel.

Le Vampiratum est récent. D'où provient cet exemplaire vieux de quinze ans ? Et l'un des rares numéros qui parlent de la reine, en plus ? Ça me met la puce à l'oreille.

L'air gêné, je mens sans vergogne.

– Moi aussi, j'adore les magazines. Puis-je vous l'emprunter ?

– Bien sûr, ma petite. Tu es bien la première à ne pas te moquer de moi. La vie de cirque se révèle excitante, mais en dehors de la scène, quel ennui !

– Être vampire vous apporte certains pouvoirs comme voler, non ?

– Hélas ! soupire-t-elle. Il n'y a qu'un mois que nous sommes devenus des créatures de la nuit. Est-ce parce que nous étions des « monstres humains », je l'ignore, mais nous n'avons acquis aucun pouvoir. Ce qui me chagrine, c'est qu'on ne supporte plus la lumière du soleil. Cependant, on ne tombe pas en catatonie dès l'aube, comme les vampires

« normaux ». Ah ! j'aurais bien aimé me transformer en chauve-souris pour enfin me sentir légère ! Je ne bois que du sang, mais je n'ai pas perdu un kilo. Je m'ennuie du temps où je dévorais tout ce que je voulais… De plus, on ne peut pas s'abreuver de n'importe quel sang. Moi, je consomme du sang d'éléphant ; Taki et Waki, du sang de chat siamois ; Oculus, du sang de cochon nain ; et les clowns, du sang de hyène.

– Avez-vous des loisirs en dehors de votre numéro ?

– Je lis des romans d'amour et j'admire les étoiles. Pour moi, rien n'égale ce magnifique tableau.

Plakett s'approche et appuie son museau sur ses énormes cuisses.

– Tu as de la veine d'avoir un tel ami, murmure-t-elle en lui flattant la tête. Quand j'étais encore humaine, je possédais un chat. À mon grand regret, j'ai dû m'en départir. Mignon comme tout, il aurait vite attiré les monstres, qui n'en auraient fait qu'une bouchée !

L'allusion aux spectateurs me rappelle un détail durant ma visite d'hier.

– Une rumeur circule qu'une goule rôde dans les parages. Vous y croyez ?

Madame Mastoka sursaute.

– Vous semblez inquiète. Il n'y a quand même pas de cadavre dans le cirque ?

– Euh... bien sûr que non. Quelle idée ! Bon, je dois me préparer, le temps file !

Je sors du chapiteau en ayant la nette impression qu'elle me cache quelque chose. Soudain, je m'arrête. Et si la reine avait rendu l'âme la nuit dernière ? Son cadavre tout frais aurait bien plu à cette goule ! Mais non, qu'est-ce que je raconte ? La goule errait bien avant dans les environs !

Pendant que Plakett poursuit un écureuil, je regarde ma montre : vingt-deux heures trente. Je dispose d'une heure et demie avant le début du spectacle. Une citation de Sherlock Holmes me revient soudain à l'esprit : « Un fait hors de l'ordinaire est plutôt un indice qu'un embarras. » Une deuxième visite à la ferme s'impose. Je dois découvrir ce que la reine y cherchait. Qui sait, ça a peut-être un lien avec sa disparition ?

Le ciel étant en partie dégagé, l'endroit ne baigne pas dans la noirceur. Même si ma vue n'est plus perçante, je distingue trois silhouettes familières dans la forêt : les clowns. Ils se penchent, ramassent des branches, puis les fourrent dans des sacs qu'ils portent en bandoulière. À quoi rime leur manège ?

Plakett revient, les yeux rouges. Le voilà bien repu !

Cachée derrière un sapin, je me transforme en colibri. À cause de ma bosse, je vole moins vite, en zigzaguant. Par chance, la ferme est à mi-chemin entre le Vampiratum et le château, ce qui me laisse assez de temps pour un aller-retour.

Le voyage est pénible. À force de louvoyer, j'ai le tournis. La ferme apparaît enfin. Quel silence !

Je me pose dans la cour et reprends mon apparence bossue. Plakett fouine déjà un peu partout. Tout à coup, il trotte vers une partie du jardin qui a été labourée. La truffe en folie, il renifle la terre. Je le rejoins et hume l'atmosphère : cette senteur d'oignons émanait aussi du fermier.

– Il s'agit de la même odeur de terre que celle que j'ai trouvée près du cercueil de Darkov, grogne Plakett en creusant à toute vitesse.

Aussitôt, je sors le sachet de ma poche et compare les deux matières. Pas de doute : leur odeur, leur couleur et leur texture sont identiques. Je félicite Plakett.

– Sherlock Holmes décèle peut-être l'origine des taches de boue à l'aide de son microscope, mais toi, tu réussis cet exploit avec ton seul odorat !

Je déniche une pelle et j'aide Plakett à retirer la terre. Un trou de deux mètres par soixante centimètres environ se dessine. Ce sont les dimensions du cercueil de Darkov. La reine faisait donc allusion au maestro devant le fermier. Quel lien les unit ? J'y pense, le mouchoir que Carmilla a imbibé de parfum lui était peut-être destiné. Et si Darkov ne souffrait pas et avait inventé cette excuse pour enlever la reine ? Mais son mobile m'échappe. Et où se trouveraient-ils ? La voix de Sherlock Holmes résonne alors dans ma tête : « Il ne faut pas se baser sur des suppositions, mais sur des faits. » En effet. Il faut que je vérifie si Darkov occupe bien son cercueil.

J'aide mon chien à remplir le trou. Ni vu ni connu. Ensuite, je me transforme en colibri, mais je ne parviens pas à voler plus de deux mètres. J'ai l'impression que ma bosse pèse une tonne !

– Agrippe-toi à mon dos, jappe Plakett, on arrivera au cirque en un rien de temps !

Cette pause me fait le plus grand bien. On s'arrête à une centaine de mètres du Vampiratum. Je me cache derrière un sapin et retrouve mon apparence bossue. J'explique à mon chien notre numéro, auquel j'ai réfléchi pendant le retour. Sa réaction me réjouit.

– On va bien s'amuser ! jappe-t-il, la queue frétillante.

Minuit approche, les monstres forment déjà une file. À l'entrée, Bozo joue au guichetier. Avec Plakett, je me présente devant lui. Sans crier gare, il me tire le nez. Je pousse un cri de douleur pendant qu'il éclate de rire ! Je suis furieuse, mais il m'adresse un clin d'œil.

– O.K., nous sommes quittes, dis-je en lui serrant la main.

Avec un grand sourire, le clown libère le passage. Dans les coulisses, la troupe est réunie autour de Makabi.

– Où étais-tu ? me lance-t-il.

– J'ai besoin de m'aérer la tête avant de pratiquer la télékinésie. J'en ai profité pour réfléchir à mon numéro : un ballon sera suffisant.

En voyant son air sceptique, je lui assure qu'il ne sera pas déçu.

Le chapiteau est plein à craquer. Les spectateurs n'attendent plus que le début du spectacle. Dès que la musique résonne, Makabi s'avance vers le public, poussant devant lui une table avec ses accessoires de magicien. À mes côtés, Plakett gronde, mais la musique enterre son message.

Makabi ne varie pas son numéro, mais il enchante les monstres. Il termine sa prestation par le fameux tour où il réveille des bestioles. Cette fois-ci, il retire d'une boîte une dizaine de serpents, qu'il dispose sur un long banc. Eurêka ! Dans la forêt, les clowns ne ramassaient pas des branches, mais des reptiles !

Makabi prononce une formule incompréhensible. Tous les serpents se mettent à onduler ; certains se faufilent sur les gradins, à la grande joie des monstres, qui se précipitent pour les capturer. Au même moment, Bozo, le clown à charades, s'approche de moi et susurre à mon oreille :

– Mon premier est rouge.

Mon second est essentiel pour un vampire.

Mon troisième, c'est ce que fait un arracheur de canines.

Mon quatrième est coupant.

Mon cinquième est un synonyme de « comment ».

Mon tout aime jouer avec la mort.

Cette fois-ci, je suis bouche bée. Fier de lui, Bozo éclate de rire. Je n'ai pas trop la tête aux charades, d'autant plus que madame Mastoka est en train d'exécuter son numéro et que je vais lui succéder. Tout le monde m'encourage, ce qui me rassure un peu. J'espérais voir Darkov comme spectateur, mais il brille par son absence.

Madame Mastoka revient dans les coulisses, sous les applaudissements nourris des spectateurs. Quand Makabi annnonce que le virtuose Darkov n'exécutera pas son morceau au piano, des cris furieux retentissent. Je me sens aussi petite qu'une souris. Peu rassuré, Plakett gémit à mes côtés.

Makabi hurle dans son micro pour être entendu :

– Je vous présente, à sa place, une nouvelle venue pas piquée des vers. Voici Bossanova, la télékinésiste, et son chien Skelett !

Un silence de plomb accueille ma présentation.

– Cette jeune fille peut déplacer des objets par la seule force de sa volonté, explique-t-il.

Mon ballon sous le bras, je suis accueillie par des marmonnements incrédules.

Sans perdre une minute, je me concentre sur le long banc au milieu de la piste. Mes yeux brûlent et… le voilà qui s'élève dans les airs. Je l'envoie se fracasser sur l'une des cloisons du chapiteau, évitant de justesse quelques spectateurs. J'y ai été un peu fort, mais bon, il fallait que je les surprenne ! Un silence s'ensuit. Puis, dans un tollé, les monstres crient :

– Encore ! Encore !

Puisque c'est comme ça… je fixe mon ballon. Contrôlé par mon regard de braise, il file dans tous les sens. Et paf ! sur la tête d'un troll ! Et pif ! sur le museau d'un monstre à trois yeux ! Et, bing ! bang ! bong ! sur le plafond et les cloisons. Plakett court comme un dératé en essayant de l'attraper. Morts de rire, les monstres se prennent au jeu et tentent à leur tour de le saisir. Mais je suis trop rapide !

Finalement, Plakett effectue un saut périlleux et l'intercepte. Les monstres trépignent de joie. Moi, je tremble comme une feuille. J'ai l'impression que les yeux vont me sortir de la tête. La langue pendante, Plakett s'approche de moi en grognant :

– Ça suffit, tes yeux sont injectés de sang. De toute façon, c'est dans la poche !

En effet, les monstres scandent mon nom.

– Bos-sa-no-va ! Bos-sa-no-va !

Je salue le public et quitte la piste de peine et de misère, Plakett à mes côtés. Au passage, Makabi me félicite.

– Bravo, fillette, tu fais maintenant partie du Vampiratum !

Je lui souris sans répondre. Dans les coulisses, tout le monde me serre la main et me félicite pendant que Plakett reçoit son lot de caresses. Soudain, je vois des étoiles.

– J'ai besoin d'air, je dois sortir.

Oculus ouvre vite une fermeture à glissière près de la loge de madame Mastoka. Tiens, il y a donc une autre entrée !

Dès notre sortie, le nain referme l'ouverture derrière lui. Une immense affiche recouvre l'ouverture. Plakett à mes côtés, je titube jusqu'au pied d'un sapin. De ma poche, je retire le tube de crème que Belladona m'a offert et l'applique sur mes paupières. La douleur s'amenuise peu à peu. Je ferme les yeux.

9
Une goule, une roulotte et un collier

Ma petite sieste m'a procuré le plus grand bien. Je m'étire en pensant à Darkov. Repose-t-il ou non dans son cercueil ? Et la reine est-elle retenue dans l'une des chambres ? Impossible de monter sur le toit avant la fin du spectacle. De toute façon, comme je n'occupe encore aucune chambre, ma présence là-haut aurait l'air des plus suspecte.

Tout à coup, Plakett gronde, la tête levée vers le sommet du chapiteau. Une silhouette longiligne aux pieds fourchus frappe de sa main griffue le toit pentu : une goule !

Je me lève et étudie sa position en me remémorant le plan des chambres ; je situe la goule à côté de la pièce de Makabi. Ce serait donc elle qui s'activait sur la toiture pendant ma visite chez le patron ? Pourtant, celui-ci a évoqué le bruit de branches, alors qu'aucun arbre ne frôle cette surface. Qu'est-ce qui attire cette mangeuse de cadavres ? Quand j'en ai discuté avec madame Mastoka, elle a semblé inquiète...

Un tintamarre de tous les diables résonne tout à coup sous le chapiteau. Les clowns doivent être en train de lancer des tartes à la boue aux monstres ! Un jappement soudain de Plakett attire mon attention. À l'ombre des arbres, dans un large fossé, mon chien a repéré des roulottes. Bien sûr ! Elles servent au transport du matériel et des artistes. Je ne les ai pas aperçues hier dans la noirceur... Et si j'y dénichais des indices ? C'est le moment ou jamais de les fouiller, car le spectacle tire à sa fin. Nous dévalons le fossé sans perdre une seconde.

Aucune roulotte n'est verrouillée. J'allume ma lampe stylo, car il y fait noir comme dans un four. Nous les visitons sans découvrir quoi que ce soit d'intéressant. La dernière appartient à Makabi si je me fie à une facture signée de sa main pour la commande de tracts qui s'empilent sur une petite table. Pourquoi Plakett gratte-t-il le sol ?

– C'est la même odeur subtile que celle que j'ai sentie dans la chambre de Makabi, gronde-t-il. Un mélange de mort, de vie et de sel.

Bizarre ! Rien à voir avec le parfum voluptueux de la reine… Je m'approche et discerne dans la fine couche de poussière la trace d'un objet long et rectangulaire.

– Quelqu'un rôde à proximité, m'avertit mon chien.

Je jette un coup d'œil vers l'extérieur. Madame Mastoka se tient dans son fauteuil, à la lisière du fossé. Une idée soudaine me traverse l'esprit. J'émerge de la caravane et envoie la main à la femme-éléphant.

– Bossanova ! s'écrie-t-elle, surprise. J'ai remarqué un faisceau de lumière et j'ai cru qu'il s'agissait d'un intrus. Que fabriques-tu dans la roulotte de monsieur Makabi ? ajoute-t-elle, les sourcils froncés.

– En réalité, j'ai visité chaque caravane. J'ai un gros défaut, je suis très curieuse, dis-je en la rejoignant. Vous allez me dénoncer ?

Je prends soin de prendre un air penaud.

– Non, promet-elle. Mais, la prochaine fois, demande la permission !

– D'accord. J'ai remarqué les traces d'un caisson dans la roulotte de monsieur Makabi. J'imagine qu'il est rempli d'accessoires de magie…

– Euh… oui, en effet, répond-elle en roulant vers les boisés.

– Où se trouve-t-il ? Je ne l'ai pas vu dans sa chambre.

– C'est vrai que tu es curieuse ! convient-elle. Monsieur Makabi l'entrepose dans l'une des pièces du toit. Les magiciens sont très secrets en ce qui a trait à leurs tours. Maintenant, m'aiderais-tu à chercher mon collier de perles ? Je l'ai encore perdu, le fermoir n'est pas des plus solide, explique-t-elle en regardant autour d'elle.

Plakett et moi examinons les alentours. Mon chien se met à aboyer : il a trouvé le collier. Je cours vers lui. Dès que je touche au bijou, des images me traversent l'esprit : sur un fil, une funambule aux bras si longs qu'ils lui servent de balancier. Soudain, on la pousse. Dans un hurlement, elle tombe. Plusieurs cris horrifiés retentissent. Au sol, la jeune femme agonise. D'un geste lent, elle porte la main à son cou et retire son collier de perles, qu'elle dépose sur un grand pied botté. Puis, deux bras la soulèvent et… tout s'efface.

Bon sang ! J'avais oublié mon pouvoir de psychométrie ! La chaussure que j'ai distinguée appartient à madame Mastoka. La funambule est la jeune femme de la photo qui a glissé du livre de Makabi. Le toit était pointu et non plat comme celui du Vampiratum. J'aimerais en savoir plus, mais je ne peux révéler mes nouvelles facultés acquises grâce à la mixture de sang-dragon, sinon je les perdrais. J'ai raconté à Makabi que j'étais télékinésiste de naissance en espérant que ce mensonge n'affecterait pas mes pouvoirs. Pour le moment, ça semble fonctionner, mais je ne veux pas en abuser ! Dans ce cas-ci, rien ne m'interdit de poser des questions. Je reviens sur mes pas et rends le collier à madame Mastoka.

La femme-éléphant bat des mains comme une petite fille.

– Veux-tu le fixer à mon cou ? Je n'y arrive pas, avec mes grosses paluches !

– Avec plaisir ! Vous semblez tenir à ce collier. C'est un cadeau ?

– Oui ; il m'a été offert par une amie que j'aimais beaucoup. Elle faisait partie de notre ancien cirque. Tout le monde l'adorait, me confie-t-elle. Pendant une répétition, un vampire fou nous a attaqués. Une section de la troupe a été transformée en créatures de la nuit ; l'autre a été tuée, dont mon amie Fiona.

– Je suis désolée, dis-je en lui prenant la main.

Elle serre la mienne si fort que je me retiens de pousser un cri.

– Notre clan détient un gros secret, avoue soudain madame Mastoka. Nous avons juré de garder le silence, mais comme tu appartiens maintenant à notre bande…

– Bossanova ! l'interrompt Makabi en se dirigeant vers nous. Je te cherchais. Tu es rétablie ?

– Ça va mieux, merci.

– Bien ! De quoi parliez-vous toutes les deux ? Vous êtes bien pâle, madame Mastoka, note-t-il d'un air méfiant.

– Je lui ai permis de toucher à ma bosse.

Mon aplomb le prend de court.

– Ah ? Bon ! lâche-t-il. J'oubliais, Oculus a préparé ta chambre.

Il tourne les talons. Aussitôt, Plakett et moi lui emboîtons le pas.

– À plus tard ! me lance madame Mastoka en m'envoyant un clin d'œil furtif.

Une alliée dans la place peut m'être utile. Dommage que je n'aie pas eu vent du fameux secret ! Oculus patiente en bas de l'échelle. Plakett sous le bras, il m'invite à le suivre.

Ma chambre, voisine de celle du nain, est meublée de façon sommaire : il y a un lit, une commode, une table de chevet, un chandelier et un minifrigo.

– Nous nous réunissons toujours dans la loge de madame Mastoka après le spectacle pour jouer aux cartes, déclare Oculus. Ça te tente ?

– Merci, mais ma prestation m'a épuisée. Je préfère dormir.

– À ta guise, réplique-t-il en refermant la fermeture à glissière.

Dormir ? Pas question ! C'est l'occasion idéale de vérifier le cercueil de Darkov et d'explorer les chambres vides. Je dézippe ma porte pendant que Plakett roupille.

Je vais droit à la chambre du virtuose, mais impossible d'ouvrir la fermeture éclair. J'ai beau tirer de toutes mes forces, elle est coincée. Je jure entre mes canines. Il me reste à vérifier les trois pièces vides. Je me grouille, car Oculus, Makabi ou les frères siamois pourraient surgir à n'importe quel moment. Je ne réussis à ouvrir ni la première ni la deuxième. Elles sont ensorcelées ou quoi ? La dernière chambre, adjacente à celle de Makabi, demeure mon dernier espoir. Avec délicatesse, je tire sur la fermeture à glissière. Elle ne bouge pas d'un poil. Je recommence plus fort, sans succès. Ma patience a des limites ! Je sors un canif de ma poche et tente de la débloquer. Impossible de l'ouvrir ! Furieuse, je rebrousse chemin. La fermeture éclair de ma pièce s'ouvre, bien sûr, sans problème !

Pour me calmer, je m'allonge sur mon lit. Perdre mon sang-froid ne me mènerait à rien. Je repasse donc mentalement le film des événements depuis mon arrivée au Vampiratum en consignant tous les détails dans mon carnet. Puis, je me relis en réfléchissant aux indices que j'ai recueillis : les traces de grands pieds, les empreintes sur le mouchoir de la reine, la terre du cercueil de Darkov, l'absence du musicien… ah ! j'oubliais le *Vampyr Express*.

Je le feuillette et m'arrête à la page où l'on annonce le couronnement de Carmilla. J'examine la photo un peu floue du couple. En arrière-plan, la reine arbore un sourire crispé. L'air irrité, le roi des vampires pose deux doigts devant l'objectif. À bien y penser, c'est la première fois que je le vois. Sa beauté coupe le souffle : il a des cheveux d'ébène, des yeux de charbon, un nez aquilin et des pommettes saillantes. Tiens, une note manuscrite a été ajoutée au bas de la page : *deux grammes de Carpevole.* C'est l'écriture de Sycomore, j'en mettrais ma main au feu ! Je récupère la bouteille de *Carmillamor* d'une de mes poches et compare les deux écritures. Bingo ! Les trois lettres « c », « a » et « r » sont écrites de façon identique, ainsi que les « m » et les « l ». Comment cet exemplaire s'est-il retrouvé au Vampiratum ?

Tout à coup, une idée folle me traverse l'esprit. J'approche ma loupe de la photo et retiens un cri. Serait-ce possible ? Cela paraît n'avoir aucun sens, et pourtant…

Ma montre indique trois heures. Il faut que je rencontre Sycomore sans tarder. Je remets mon attirail dans mes poches et secoue mon chien.

– Quoi ? grogne-t-il. Qu'est-ce qui se passe ?

– Le temps presse. Filons au château !

Plakett sous le bras, je descends l'échelle en essayant d'être la moins bruyante possible. Des éclats de rire proviennent des coulisses. La voie est libre !

10
Révélations mortelles

Transformée en colibri, je me cramponne au pelage de Plakett. Mon chien file à tombeau ouvert. Nous arrivons à destination en moins d'une heure. Derrière un cactus, je recouvre mon apparence « bossanovienne ». Au même moment, je vois Sycomore déverrouiller la porte de la serre ; sa besace déborde de fioles et de poudres de toutes sortes. Je vais à sa rencontre. En m'apercevant, il laisse échapper son sac.

– Qui… qui êtes-vous ? bredouille-t-il.

Avant que je réponde, Plakett me rejoint.

– Plakett ? Mais alors… c'est toi, Rouge-Babine ?

Je souris de toutes mes dents tordues.

– Eh oui ! C'est une longue histoire, mais je ne tournerai pas autour du pot : la reine a disparu.

Sycomore devient aussi blanc qu'une canine bien astiquée.

– Quoi ? s'étrangle-t-il. Je l'ignorais, je viens de finir mes courses ! déclare-t-il pendant que nous entrons dans la serre.

– Argus est venu en renfort pour calmer la panique qui s'installait au château. Dites-moi, connaissez-vous le Vampiratum ?

– Le quoi ? s'écrie Sycomore, visiblement dépassé par la situation.

Ça me confirme qu'il n'est pas mêlé à cette histoire. Pourtant…

– Pourquoi m'avez-vous menti à propos du Monstrifiore ? Vous l'avez conçu pour la reine.

– Sa Majesté m'a interdit d'en parler à quiconque, avoue le sorcier. Elle ne m'a pas confié la raison de cette demande. Y a-t-il un lien avec ce… Vampiratum ? Si oui, de quoi s'agit-il ?

De façon concise, je lui décris le cirque. Il devient livide.

– *Maledictio* ! jure-t-il. Sa Majesté serait entre les mains de l'une de ces créatures ?

– Plusieurs indices me portent à le croire. Ce journal vous appartient, n'est-ce pas ?

Je lui tends le *Vampyr Express*, qu'il feuillette d'un air étonné.

– En effet, admet-il en pointant son index vers la note écrite à la main au bas de l'article sur le couple royal. C'est l'unique photo d'eux que je possède. Le roi et la reine ont toujours évité d'être photographiés en public. Question de sécurité. Le roi souffrait aussi de photophobie. Tu peux imaginer combien il détestait le flash des appareils photo ! Aurais-tu déniché mon journal au Vampiratum ? ajoute-t-il, l'air soudain pensif.

– Oui. Vous souvenez-vous du moment où il a disparu ?

– J'y réfléchis... Ça y est ! Je peux même te dévoiler qui me l'a volé : Mori.

– Mori ? Jamais entendu parler de lui. Qui est-ce ?

– Un sorcier. Il s'est présenté ici il y a deux semaines en me menaçant d'envoyer une lettre à la reine pour me dénoncer si je ne lui révélais pas l'endroit où était enterré le roi. Seuls la reine et moi savons où il est inhumé.

– Vous dénoncer à la reine ? Pourquoi ?

– J'ai tué le prince des ténèbres, murmure-t-il en baissant la tête.

Je suis sous le choc.

– Vous… vous voulez dire qu'il vous a mordu ?

Les vampires qui osent attaquer des sorciers très puissants périssent.

– Mon roi ne m'aurait jamais agressé ! proteste Sycomore.

– Pourquoi l'auriez-vous tué alors ? Vous êtes le plus loyal des sorciers !

– C'est un stupide accident, soupire-t-il en s'assoyant la tête entre les mains. Mon roi me visitait chaque nuit pour s'informer de mon travail. Lui seul s'intéressait à mon emploi du temps. Les potions piquaient sa curiosité. Ce qu'il ignorait, c'est que j'étais fasciné par la mort. En réalité, je rêvais de rendre la vie. À ma connaissance, un seul sorcier maîtrisait l'art de la nécromancie : Mori. Je l'ai contacté. Notre rencontre m'a amené à pratiquer cette science occulte. Toutefois, je n'ai pas eu le temps de l'approfondir.

– Que s'est-il passé ?

– Par un après-midi ensoleillé, malgré sa crainte de la lumière, le roi a surgi dans ma serre, des lunettes fumées sur le nez. Il avait rêvé qu'il mourait de façon tragique et il était en proie à une crise d'angoisse. Pour oublier ce cauchemar, il voulait sombrer dans un sommeil profond. J'ai donc sorti de mon armoire un flacon de mixture rouge, du Komatix. Je l'ai posé sur la table à côté des autres fioles qui servaient à la préparation d'un élixir auquel je travaillais, composé, entre autre choses, du sang d'un mort que Mori m'avait fourni. Distrait par mon alambic qui sifflait, j'ai tourné le dos au roi quelques secondes...

– ... et il a bu la fiole de sang du mort, conclus-je, atterrée. Comme il voyait mal avec ses lunettes de soleil, il a confondu les deux flacons !

– Hélas ! Quand je m'en suis aperçu, le roi était déjà parti se recoucher. Il ne s'est jamais réveillé...

Un silence s'installe. Puis, revenue de ma surprise, je l'interroge :

– Pourquoi Mori ne lui a-t-il pas rendu la vie ?

– Dès que j'ai constaté la mort du roi, j'ai contacté Mori. Mais il m'a affirmé qu'il ne possédait pas les connaissances nécessaires pour faire renaître le plus puissant des vampires. J'ai donc menti à la reine : je lui ai juré que le roi n'avait avalé que du sang de paresseux, mais que le pauvre animal devait souffrir d'une maladie sanguine. Si je lui avais avoué que le roi avait ingurgité le sang d'un mort de son plein gré, elle ne m'aurait jamais cru. Je mangerais les pissenlits par la racine depuis longtemps ! J'ai révélé l'emplacement du caveau à Mori par crainte du châtiment que la reine m'infligerait si elle apprenait la vérité... *Maledictio* ! peste-t-il soudain en se levant. Je parie qu'il y a un lien avec la disparition de la reine !

– Hein ? Quel lien ?

– Je me suis replongé dans la lecture de ce livre après la visite de Mori, déclare-t-il en prenant *Le Livre des Morts* de sa bibliothèque.

– À propos de ce bouquin, pourquoi m'avez-vous menti sur son contenu ?

– La discussion avec Mori a déclenché en moi un énorme sentiment d'insécurité. Je croyais que tu enquêtais sur la mort du roi.

– Je comprends. Revenons au *Livre des Morts*.

– On y affirme qu'un vampire décédé à la suite d'un empoisonnement par le sang d'un mort perd la vitalité de sa jeunesse éternelle. Ça signifierait donc que, au fil des ans, la puissance du roi aurait disparu. Il y a quand même plus de quinze ans qu'il s'est éteint.

– Mori aurait réussi à le ranimer pour attirer la reine ?

– Je pense que oui. Il a dû me piquer mon journal pour obtenir la photo de Sa Majesté, qu'il n'avait jamais vue.

– Pourquoi aurait-il voulu piéger la reine ?

– Pour mettre la main sur son sang royal, d'une rare puissance ! La nécromancie permet de ranimer des morts, mais ils sont semblables à des poupées : dépourvus de pensées et d'émotions. Une légende raconte que le sang d'un vampire royal aurait la propriété de ressusciter les morts…

– C'est un peu tiré par les cheveux, non ?

– J'ai la nette impression que Mori y croit… En tout cas, quand Sa Majesté a exigé son parfum, l'idée que le nécromancien avait réussi à ranimer le roi m'a effleuré l'esprit…

Voilà pourquoi Sycomore était dans tous ses états ! C'est à mon tour d'être sur les canines, car le sorcier confirme ma folle hypothèse.

Fébrile, je braque ma loupe sur la photo du couple royal :

– Regardez la main du roi ! Ses doigts ont des empreintes très particulières.

– Ce sont des dragons stylisés, l'emblème de sa famille. Et alors ?

– J'ai détecté ces empreintes sur un mouchoir de la reine que j'ai trouvé au Vampiratum. Je vous annonce que le roi y joue tous les soirs sous le pseudonyme de Darkov.

– Darkov ? s'étonne Sycomore. Attends une minute ! Serait-il un virtuose du piano ?

– Comment l'avez-vous deviné ?

– Quand Mori m'a obligé à lui avouer où était enterré le roi, il m'a aussi demandé s'il avait un talent particulier. Et toi, comment en es-tu arrivée à cette conclusion ?

– J'ai trouvé des traces de grands pieds sur le lieu de l'enlèvement. Je me suis souvenue que le roi avait cette particularité, un détail que j'ai appris pendant ma première enquête. La reine m'avait aussi déjà glissé un mot sur le talent de son défunt époux lors de ma première visite au château. D'où son attirance pour Darkov, qui jouait son morceau favori.

Elle était sous le charme, sans toutefois reconnaître son mari…

– *Le Livre des Morts* dit donc vrai, le roi a perdu sa jeunesse éternelle ?

– Absolument. Il ressemble à un vieillard tout rabougri. De plus, il est muet. On dirait un vieux pantin, sauf quand il joue du piano.

– Mori doit le contrôler à sa guise, grommelle Sycomore.

– Décrivez-moi Mori.

– Il est grand, bien bâti. Il a les cheveux noirs, des yeux noirs et une barbichette.

– Là, je suis confondue. Ça ne ressemble à personne au Vampiratum. Le patron est un vampire albinos. Et, croyez-moi, il n'est pas déguisé !

– Tu dois retrouver la reine coûte que coûte, déclare Sycomore. Qui sait de quoi Mori est capable ?

– Je regagne le cirque illico. J'y pense, auriez-vous un sortilège pour décoincer des fermetures à glissière ?

Son air ahuri répond à ma question.

Sur le seuil de la porte, le sorcier flatte Plakett et me serre la main en me souhaitant bonne chance.

– Je t'en conjure, Rouge-Babine, sois prudente !

***

Pendant que nous fonçons vers le Vampiratum, je me remémore ma conversation avec Sycomore. Le pauvre porte un secret bien lourd. Une chose est sûre, il faut que je pince ce Mori. Où se cache-t-il ? Si je connaissais son mobile ! En tout cas, ce n'est pas pour de l'argent ni par vengeance qu'il a agi, sinon Argus aurait déjà reçu des indications à cet effet.

Je partage l'inquiétude de Sycomore. Quel sort Mori réserve-t-il à la reine ? Bon sang ! J'en perds mon latin ! Allons, Rouge-Babine, creuse-toi la cervelle…

Tout à coup, la charade de Bozo le clown ressurgit dans mon esprit. Il me l'a soufflée à l'oreille au moment précis où Makabi amorçait son numéro. J'ai la nette impression qu'il a voulu, à sa manière, m'amener à comprendre quelque chose. Et si c'était le fameux secret que madame Mastoka n'avait pas eu le temps de me révéler ? « Il suffit parfois d'un rien pour découvrir une piste», répète souvent mon détective préféré. S'il suffisait d'une charade ?

J'ai beau la connaître par cœur, impossible de la déchiffrer !

À moins que je ne me mette à la place du clown ? Comme Sherlock Holmes quand il endosse la peau d'un criminel pour deviner ses intentions ?

J'y vais : mon premier est rouge. Du point de vue d'un clown, ça ne doit pas être du sang… C'est un *nez*, bien sûr !

Mon second est essentiel pour un vampire. Du sang ? Des canines ? J'imagine les trois clowns… Non, ce sont leurs fameux *crocs* ! Donc, ça donne Nez-crocs…

Mon troisième, c'est ce que fait un arracheur de canines. Il *ment* ! Nez-crocs-ment…

J'ai trouvé ! Mon quatrième est coupant. C'est une *scie*.

Mon cinquième est un synonyme de comment. C'est *hein* !

Mon tout est quelqu'un qui aime jouer avec la mort. Un nez-crocs-ment-scie-hein. Nécromancien !

Makabi serait donc Mori ? Mais Makabi est albinos, ce qui n'est pas le cas de Mori !

Une citation de Sherlock Holmes résonne soudain dans ma tête : « La première qualité d'un enquêteur criminel est de pouvoir percer un déguisement. » Et si Sycomore ne l'avait vu que déguisé ? Mori avait honte de son allure, jusqu'à ce qu'il rencontre des gens différents, comme lui… Il a donc repris son apparence d'albinos. Comme le Vampiratum se compose seulement de vampires, il n'a eu qu'à porter de faux crocs pour faire illusion !

Grâce à la cadence rapide de Plakett, nous sommes presque arrivés au cirque. Bien cramponnée à son pelage, je lance à mon chien :

– Crois-tu que Makabi soit Mori ?

– Au début de son numéro, je t'ai avertie que sa boîte empestait la bestiole crevée, gronde-t-il, la langue pendante.

– Oh ! Je ne t'ai pas entendu à cause de la musique ! Ton flair infaillible équivaut à une preuve. Makabi ne contrôle pas les bêtes comme je l'imaginais, il les ramène à la vie ! Le manège des clowns dans la forêt s'éclaire : ce ne sont pas des branches qu'ils ramassaient, c'étaient des serpents auxquels ils tordaient le cou avant de les fourrer dans leurs sacs…

À nous deux, Makabi-Mori !

11
À la vie, à la mort

Dès notre arrivée au Vampiratum, je redeviens Bossanova. Je note que la fermeture éclair de l'entrée est à moitié ouverte. Curieuse, je m'y faufile avec Plakett et me fige sur place.

La troupe, en rang d'oignons, forme une ligne infranchissable.

– Où étais-tu passée ? s'informe Makabi, les sourcils froncés.

– Je suis allée me promener avec mon chien. Je n'arrivais pas à dormir.

– Ah oui ? Et tu as pensé : « Pourquoi ne pas souhaiter le bonsoir à Darkov avant de sortir ? » Je t'ai vue essayer en vain d'ouvrir sa porte. Sache que les fermetures éclair sont ensorcelées. Elles ne s'ouvrent qu'à ses occupants ou si l'on prononce le mot magique *Vampiratum*, ajoute-t-il en refermant la fermeture éclair derrière moi.

J'aurais dû y penser! Sherlock Holmes ne serait pas fier de moi...

Pour rendre mon geste crédible, je joue à la groupie :

– Je mourais d'envie de rencontrer ce virtuose. Je collectionne les autographes des grands musiciens.

– Tu vas être ravie, il est enfin parmi nous, déclare Makabi en esquissant un large geste du bras.

Les vampires s'écartent. Plakett sur les talons, je m'avance. Sous les lustres à bougies, la maigre silhouette du roi des vampires, alias Darkov, se dessine sur un banc, en plein milieu de la piste. Il a la tête baissée et ne bouge pas d'un poil. Un caisson en métal se trouve à quelques mètres de lui. D'après les dimensions, il doit s'agir de celui que j'ai aperçu dans la roulotte de Makabi. Mon cœur bat la chamade pendant que je m'en approche, certaine d'y trouver la reine. Je me penche et retiens un cri de surprise. À travers le couvercle vitré, je découvre plutôt la jeune femme de la photo tombée du livre de Makabi : la funambule agonisante de la « vision psychométrique » que j'ai eue en touchant le collier de madame Mastoka. Je me remémore la scène, les derniers instants de la funambule dans des bras à la pilosité… décolorée. Je réfléchis à toute vitesse. Eurêka ! Je viens de découvrir le mobile du crime !

Je pointe un doigt accusateur vers Makabi.

– Vous voulez faire revivre cette femme, dont vous êtes toujours amoureux !

Puis, je m'adresse aux vampires.

– Et vous étiez tous au courant ! Makabi, alias Mori le nécromancien, vous a promis qu'elle reviendrait à la vie.

En silence, ils hochent la tête en m'encerclant. En entendant son vrai nom, les yeux de Makabi ont des mouvements saccadés, comme je l'ai remarqué à notre première rencontre. Je poursuis :

– Si je comprends bien, le grand moment est venu ? Savez-vous que votre patron a séquestré notre reine dans une des pièces inoccupées pour atteindre son but ?

Makabi tressaille. J'ai vu juste. La troupe, elle, est bouche bée.

– Notre reine ? s'étonne Oculus. Tu délires, on ne l'a jamais vue ici !

– Sauf la reine des abeilles, réplique Bozo.

– Et la petite reine au nez rouge, rétorque Koko.

– Sans oublier la reine de boxe, renchérit Kéri.

Les trois clowns rigolent, mais le cœur n'y est pas. Les vampires fixent leur patron.

À ma grande surprise, Makabi ne se rebiffe pas. Au contraire, il ordonne à Darkov d'aller chercher la reine. Sans rechigner, le roi des vampires se lève, sous le regard ébahi de la troupe. C'est bien ce que je pensais… Le groupe ignore que Makabi contrôle Darkov. Celui-ci revient des coulisses avec Carmilla saine et sauve. Enfin, façon de parler : le regard vague, elle marche comme un robot.

– Oh ! C'est bien la reine des vampires, je la reconnais ! affirme madame Mastoka, les yeux ronds. Inclinez-vous, qu'est-ce que vous attendez !

Je me prosterne comme les autres tandis que Makabi ordonne au couple de s'asseoir sur le banc. Dès qu'ils sont assis, nous nous relevons. Sous le choc, la troupe ne pipe mot. Tout à coup, un bruit de toile déchirée brise le silence.

Nous tournons tous la tête vers l'entrée. Deux silhouettes se faufilent dans l'ouverture. Bon sang ! Sycomore et Argus !

– Tiens, tiens, on a de la compagnie… constate Makabi, goguenard.

– Mori, c'est bien toi ! s'exclame Sycomore, sidéré. Je reconnais ta voix.

Le nécromancien n'a pas l'air effrayé, ce qui ne me rassure pas du tout. Par contre, ses yeux oscillent plus vite.

Sycomore et Argus se précipitent vers la reine et le roi, statufiés sur le banc.

– Quel sort leur as-tu jeté ? s'inquiète le sorcier.

– Je parlerais plutôt d'une emprise sur le corps et l'esprit, répond Makabi. Trop compliqué pour un sorcier de ton niveau, persifle-t-il. J'avoue que ta présence me surprend… Pourquoi un vampire t'accompagne-t-il ? ajoute-t-il avec une moue de dédain. Penses-tu vraiment qu'il saura te protéger ?

– Je me nomme Argus, premier conseiller de la reine, déclare l'hypnotiseur en dardant ses prunelles grises sur le nécromancien.

– Vous perdez votre temps, siffle Makabi. Je souffre de nystagmus. Mes globes oculaires s'agitent de façon involontaire et saccadée. Votre regard hypnotique n'a aucun pouvoir sur moi. *Fixum corpus* ! prononce-t-il en agitant le bras.

Incapables de bouger, Argus et Sycomore jurent à qui mieux mieux.

– Je saute au cou de Makabi quand tu veux, grogne Plakett.

Tout bas, je lui souffle :

– Du calme ! As-tu envie de te retrouver paralysé ?

Le nécromancien se plante devant Sycomore. D'un ton aussi tranchant qu'une canine bien effilée, il s'informe :

– Comment as-tu appris que la reine était ici ?

La lueur menaçante qui luit dans ses yeux très mobiles ne me plaît pas du tout.

– C'est grâce à moi, dis-je en m'avançant d'un pas.

L'air surpris de Makabi me réjouit.

– Les vampires n'entretiennent pas tous de mauvais rapports avec les sorciers…

– Tu serais donc sous l'influence d'un sortilège ! s'étonne-t-il. Tu as accepté de subir cette difformité au prix de mille souffrances pour sauver la reine ? Eh bien, voilà une adversaire à ma taille ! Je t'épargne la paralysie. Oculus, bande-lui les yeux et noue-lui les mains après avoir attaché son chien au banc.

– Pourquoi ? s'indigne le nain. Bossanova n'a rien à se reprocher.

– Obéis ! tonne Makabi.

Plakett attaché, je m'assois près de lui sur le banc. Pendant qu'il me lie les mains, Oculus chuchote à mon oreille :

– Nous étions au courant pour Fiona, mais pas pour la reine, je te le jure !

Je note que le nain prend soin de ne serrer ni mon bandeau ni mes liens. Tête baissée, je cligne des yeux de façon exagérée. Le morceau de tissu bouge juste assez pour dégager ma vision.

Soudain, madame Mastoka dirige un doigt vers Darkov :

– Nom d'un cigare au chou ! s'exclame-t-elle. C'est le prince des ténèbres ! Je savais que je l'avais déjà vu quelque part. Il était mort depuis belle lurette, non ?

– Quelle physionomiste vous êtes, madame Mastoka, s'incline Makabi.

– Vous avez ressuscité le roi des vampires ! s'écrie Oculus, abasourdi.

– Et kidnappé la reine ! s'offusquent Taki et Waki. Pourquoi ?

Sans répondre, le nécromancien pivote vers Carmilla.

– *Spiritus erectus !* prononce-t-il.

Carmilla sort de sa torpeur sur-le-champ, mais reste clouée sur le banc.

– Sale nécromancien ! hurle-t-elle. Je jure de vous…

– taisez-vous ou votre esprit sera de nouveau sous mon emprise, siffle-t-il pendant que ses yeux bougent de plus en plus vite.

La reine devient muette comme une tombe.

– Avant d'éclairer votre lanterne, je vais préciser certains détails à nos *invités*. Étant albinos, j'ai été victime d'exclusion et de persécution toute ma vie, commence Makabi. Très sensible à la lumière du soleil, j'évite de sortir le jour. On peut dire que je fais partie, moi aussi, des créatures de la nuit… L'idée du vampire magicien vient de madame Mastoka, précise-t-il en enlevant ses fausses canines.

La femme-éléphant opine de la tête.

– Il y a quelques mois, continue Makabi, je séjournais dans une région très reculée, au nord-est de Lasvegrad. J'ai découvert un cirque ambulant qui jouait pour les nomades du désert. Tous les artistes étaient des « monstres humains ». Chaque soir, j'assistais au spectacle, car j'étais tombé amoureux de la funambule, Fiona. Un soir, alors que je rejoignais le cirque pour assister à une répétition, le silence du désert a été brisé par des cris horrifiés en provenance du chapiteau. J'ai couru comme un fou, mais je suis arrivé trop tard. Un vampire cinglé, qui a affirmé s'appeler Requiem Le Rouge, avait transformé une partie de la troupe en vampires, et tué le propriétaire et le cracheur de feu. Ma fiancée, elle, se balançait sur son fil quand le vampire l'a poussée dans le vide. Je l'ai trouvée gisant sur le sol, à l'article de la mort. Avant de s'éteindre dans mes bras, elle a chuchoté à mon oreille :

« Occupe-toi de mes amis. Promets-moi que nous serons ensemble très bientôt. »

Elle savait que je pratiquais la nécromancie. Cet art me permet de rendre la vie à toutes les créatures. Celles-ci m'obéissent au doigt et à l'œil, mais sont dépourvues de langage, de raison et d'émotion. Je croyais dur comme fer que mon amour pour ma belle funambule abolirait cet état de choses. Hélas ! À mon premier essai, Fiona, muette comme une tombe, ne m'a pas reconnu et n'a ressenti aucune émotion. Or, un nécromancien ne peut ranimer une personne que trois fois. Je n'ai pu résister à une deuxième tentative, qui s'est soldée, elle aussi, par un échec. J'étais incapable de vivre sans ma vraie Fiona à mes côtés.

Les mouvements saccadés de ses yeux ralentissent. Ceux-ci sont remplis de larmes.

– J'avais promis de m'occuper de ses amis. J'ai donc décidé de reprendre la direction du cirque. Un soir, alors qu'on approchait de Lasvegrad, un plan a germé dans mon esprit. Un vampire avait tué Fiona, une vampire la ramènerait à la vie ! Oui, *une* vampire, et non la moindre : la plus puissante d'entre toutes, la reine Carmilla. J'ai d'abord rendu visite à Sycomore pour qu'il me confie où le roi des vampires était enterré, sinon je le dénoncerais...

– Que voulez-vous dire ? s'enquiert la reine. Sycomore, de quoi parle-t-il ?

Le sorcier se confesse.

Atterrée, la reine ne souffle mot. Puis, elle explose :

– Espèce de sorcier à la noix ! Je vous jetterai aux requins ! Je...

D'un souffle, Darkov émet alors deux mots :

– Mon erreur !

Carmilla s'arrête net. Cette voix d'outre-tombe me donne froid dans le dos.

– Vous parlez ? s'étonne Makabi. Ça signifie que les vampires reprennent peu à peu leurs esprits, au contraire des humains ? Voilà qui me réjouit !

– La lucidité m'est revenue dès que j'ai joué du piano, mais j'étais incapable de parler. Hélas ! Vous contrôlez toujours mon corps, précise le prince des ténèbres d'une voix éraillée.

– Je... commence Makabi.

– laissez-moi parler, que la vérité éclate !

La force avec laquelle l'ordre est exprimé laisse Makabi pantois.

Même si chaque mot semble lui coûter, le mari de la reine poursuit :

– Ma chérie, Makabi a exigé que je t'appâte en interprétant un des Nocturnes de Chopin, l'opus 9 nº 2, dont tu raffolais. Mais ce n'était pas suffisant pour te convaincre…

Voilà pourquoi la reine buvait ! Elle était bouleversée parce qu'elle se sentait attirée par un vieillard qui lui rappelait le doux souvenir de son époux ! Elle a décidé d'en avoir le cœur net et a exhorté le fermier à déterrer son cercueil.

– Makabi s'est impatienté, souligne-il. Il a menacé de dévoiler aux monstres ma vraie identité et ta présence. Pour que tu tombes dans le piège, j'ai donc joué les trois fausses notes de notre code secret, qui signifiaient que je courais un grave danger, conclut-il avec un filet de voix.

Parler l'a épuisé. La reine jette un regard meurtrier à Makabi.

Je devine la suite : convaincue par cet indice supplémentaire et prête à tout pour sauver son mari, elle a hypnotisé Bozo, le clown à charades, en lui disant qu'elle souhaitait voir le pianiste dès la fin du spectacle, derrière le chapiteau. Son mouchoir parfumé de *Carmillamor* servait de preuve à l'appui. Caché derrière un arbre, Makabi devait attendre le moment où la reine tomberait dans les bras de Darkov. Quel plan machiavélique !

– Les clowns, amenez le caisson ici ! ordonne soudain Makabi.

Tiens, ses yeux oscillent de nouveau…

Dès que le nécromancien ouvre le contenant, une étrange senteur en émane.

– C'est la même odeur que celle qui se dégageait dans sa roulotte et dans sa chambre, grogne Plakett.

Le nécromancien a dû y emmener Fiona pour la réveiller, mais le caisson demeurait dans la pièce adjacente. D'où la présence de la goule, que l'odeur du cadavre rendait folle !

La funambule git sur un lit de sel.

– Le sel est un excellent agent de conservation, explique Makabi en en prenant une poignée dans sa main. Son goût aide aussi le mort à se réveiller, précise-t-il en versant quelques grains dans la bouche de la funambule.

Puis, le nécromancien ferme les yeux et prononce une formule :

– *Renaissansum cadavera.*

Quelques instants plus tard, Fiona entrouvre les yeux.

12
Un parfum de liberté

Les yeux ronds, la troupe s'approche du caisson.

– Fiona sera MA reine à moi, soutient Makabi d'un ton ferme. Votre sang royal d'immortelle va la fouetter : ses sens vont se réveiller. Elle retrouvera sa raison et son amour pour moi, ajoute-t-il en s'adressant à Carmilla. Elle reviendra à la vie pour toujours !

Makabi s'enflamme. Ses yeux s'agitent de tous les côtés.

– Si je donne mon sang, ce sera à mon mari ! rugit la reine.

– Impossible, ma chérie, souffle le roi. Le sang d'un mort imprègne mon corps ; ça pourrait te rendre très malade. Obéis.

Aussitôt, le nécromancien libère Carmilla de sa paralysie. Puis, il ordonne à Fiona de se redresser. Les yeux vides, elle s'assoit bien droite dans le caisson. À contrecœur, la reine s'entaille le poignet et l'offre à la bouche de la funambule.

– Bois le sang de la reine, l'enjoint Makabi.

Tel un robot, Fiona obéit et s'abreuve du liquide éternel.

– Ça suffit ! décide Carmilla en retirant son bras d'un coup sec.

Je retiens mon souffle. Tout à coup, les yeux de Fiona clignotent. Un sourire éclaire son visage quand elle reconnaît Makabi.

– Mon chéri, chuchote-t-elle en le serrant contre lui de ses longs bras.

– Mon amour… murmure-t-il en lui baisant le front, les joues et les lèvres.

Soudain, les bras de Fiona se relâchent. Ses grands yeux verts fixent Makabi.

– Je t'aime pour toujours, susurre-t-elle en fermant les paupières.

– Redonnez-lui du sang tout de suite ! s'affole Makabi.

– Obtempère, ma douce, intervient le prince des ténèbres en voyant la reine grimacer.

La mort dans l'âme, Carmilla s'exécute à nouveau, mais Fiona ne réagit plus.

– Non ! crie Makabi en la secouant.

Fiona est aussi molle qu'une poupée de chiffon.

– Je suis très puissante, mais mon sang ne peut agir sur des humains morts, assure la reine d'une voix glaciale. C'est une légende.

Des larmes coulent des yeux de Makabi. Un silence funeste règne sous le chapiteau. On n'entend que les reniflements de madame Mastoka.

Avec douceur, le nécromancien allonge sa bien-aimée dans le caisson, puis fait soudain volte-face.

– *Fixum corpus !* crie-t-il.

La reine est de nouveau paralysée.

– Vous me regardez comme si j'étais un monstre, hurle-t-il à la troupe en écumant de colère. Mais voici les monstres ! s'insurge-t-il en pointant le doigt vers le couple royal. Vous n'auriez jamais été attaqués par cet horrible Requiem Le Rouge si le roi des vampires n'avait pas existé !

De sa poche, Makabi retire une bouteille et l'agite sous le nez de Sycomore, qui devient blanc comme un drap.

– Tu as deviné, il s'agit bien du sang d'un mort, siffle-t-il. C'est toi qui m'as inspiré. Ils mourront ensemble… N'est-ce pas romantique ?

Bon sang ! Les yeux de Makabi roulent carrément dans leur orbite ! Il est devenu cinglé, ma parole !

La troupe est immobile. Je lis de l'incertitude dans son regard. Elle ne sait plus comment réagir. Makabi est plus que le patron de ce clan soudé, c'est son loyal compagnon.

– Quant à toi, Bossanova, je vais te réduire à l'état de marionnette, lance-t-il. Tu seras mon esclave !

Mon bandeau ne couvrant plus mes yeux, je garde la tête baissée pour que Makabi ne s'en rende pas compte.

Comment puis-je l'arrêter ? Oculus n'a pas serré mes liens, mais je suis incapable d'en défaire le nœud. Pendant que le nécromancien débouche le flacon de sang en jetant un regard fou sur ses futures victimes, je regarde autour de moi. En levant le nez vers le plafond, je trouve une solution. Sans hésiter, je fixe un lustre. Mes yeux deviennent brûlants. Tout à coup, la suspension se décroche et assomme Makabi, qui s'effondre, inanimé.

À ma grande surprise, Oculus se précipite pour nous détacher, Plakett et moi. Les trois clowns ligotent le nécromancien. Les frères Taki et Waki en profitent pour lui retirer le flacon de sang.

– Tu fais partie de la troupe, alors pas question que tu deviennes une esclave, déclare madame Mastoka.

Je les remercie d'un sourire en me creusant la cervelle pour trouver un moyen de libérer le couple royal, Sycomore et Argus du sortilège qui les paralyse. Je n'y connais rien en formules magiques, moi !

Soudain, une idée me traverse l'esprit. Je retire de ma poche le flacon de *Carmillamor*. Sycomore m'a bien précisé que ce parfum « réveillerait un mort » tellement son odeur est intense. C'est ce que nous allons voir…

J'en vaporise un jet aux visages de la reine, du roi, de Sycomore et d'Argus. Les effluves sont si puissants que leurs corps se réveillent. Même Makabi reprend conscience.

– Ma tête, gémit-il. Mais vous n'êtes plus paralysés !

L'étonnement a remplacé sa colère. Il semblerait que le coup qu'il a reçu sur la tête lui a permis de retrouver ses esprits !

– Ce parfum qui flotte dans l'air, c'est toi qui l'as créé, Sycomore ? s'informe-t-il, une lueur admirative dans le regard.

Mon ami hoche la tête.

– Nom d'un péché mortel ! s'exclame alors le nécromancien. Ça a peut-être réanimé Fiona ?

Il jette un œil vers le caisson. Son visage en dit long.

– J'aurais tant voulu que ma bien-aimée soit de nouveau parmi nous ! sanglote-t-il.

La tête basse, Makabi ne prononce plus un mot.

Le roi des vampires claudique alors vers le nécromancien et pose une main sur son épaule.

– Makabi, je tiens à vous remercier.

Le nécromancien tombe des nues.

– Les vampires ont toujours été méprisants envers ceux qu'ils n'estimaient pas à leur hauteur, poursuit l'époux de Carmilla. Malgré ma décrépitude, jamais je ne me suis senti jugé par votre troupe. J'ai subi une profonde mutation en vivant avec vous. Je peux partir l'esprit en paix, conclut-il, la voix rauque et le souffle court.

– Partir ? proteste Carmilla. Mais…

Il pose un index décharné sur les lèvres de sa femme.

– J'ai eu l'immense chance de te revoir, mon adorée. Mon retour sur le trône est impossible. Qui respecterait un roi comme moi ?

Une larme de sang coule sur la joue de la reine. Elle embrasse son mari et baisse la tête en silence.

– Sycomore, Argus, votre loyauté envers la reine et moi vous honore, murmure-t-il en serrant la main des deux hommes. Et toi, mystérieuse jeune fille, tu mérites tout mon respect.

Je rougis de fierté. Le prince des ténèbres se tourne alors vers Makabi et sa troupe.

– En tant que roi des vampires, ma dernière volonté, quelle qu'elle soit, sera exaucée.

Sous le regard attentif de tout le monde, il se penche vers le caisson et touche le front de Fiona.

– Que ton esprit soit toujours visible pour les tiens, murmure-t-il.

Puis, il se relève en chancelant. Argus et Sycomore se précipitent pour le soutenir. D'une main tremblante, il indique l'entrée du cirque. Sans mot dire, ses compagnons l'y conduisent. Devant la toile déchirée, il secoue la tête, puis ordonne au sorcier d'ouvrir la fermeture éclair.

Le jour se lève. Le roi se retourne. Une brève lueur dorée traverse ses prunelles noires tandis que la reine le fixe d'un regard poignant. Sycomore soulève la toile. Bras tendus, le roi des vampires avance vers le soleil. Il se désintègre en quelques secondes.

Un silence de plomb plane sous le chapiteau. Tout à coup, Oculus pousse un cri.

– Regardez ! s'écrie-t-il en montrant le plafond.

Nimbée d'une aura verte, la funambule fantôme se balance sur l'un des lustres en envoyant des baisers à tout le monde.

Un grand sourire illumine le visage de Makabi. Il se tourne vers la reine et s'incline :

– Jamais je n'oublierai le geste magnifique de votre mari.

Elle répond par un salut discret de la tête. Malgré les circonstances, elle garde son calme et sa dignité. Quel sang-froid ! Sans perdre de temps, je rejoins Sycomore, car les regards insistants que la reine et Argus m'envoient me turlupinent.

De but en blanc, je demande au sorcier :

– Pourriez-vous me rendre un grand service ? J'aimerais que tout le monde ici présent oublie mon pouvoir de télékinésie. Vous inclus, Sycomore. Désolée, je ne peux vous en révéler davantage.

– Nous avons tous nos secrets, pas vrai ? répond-il en me lançant un clin d'œil. Mon sortilège d'oubliette va faire l'affaire.

Tout en prononçant une formule sibylline, le sorcier agite la main gauche vers lui et l'autre vers le groupe. Je veux m'assurer que le sort a fonctionné.

– Sycomore, que pensez-vous de mon pouvoir ?

– Quel pouvoir ? s'étonne-t-il. Je te laisse, la reine m'appelle.

Me voilà rassurée. Tiens, Makabi demande l'attention de la troupe. Je tends l'oreille.

– Mes chers amis, je vous ai menti et je m'en excuse, commence-t-il d'un ton contrit. Quel comportement odieux j'ai eu à votre égard ! J'ai perdu la tête, mais ça ne se reproduira plus.

Finie, la nécromancie, je me consacre désormais à la magie…

– On vous pardonne, patron ! s'écrie Oculus. Pas vrai, les amis ?

La troupe hoche la tête en souriant. Fiona volette au-dessus du clan.

Je jette alors un coup d'œil à la reine. Elle finit de discuter avec Argus et Sycomore, qui semblent très surpris.

Alors que Carmilla marche vers moi, je vois le chef de Brumenoire vaciller. Normal, avec le soleil levant, il devrait déjà être en catatonie. Makabi a aussi remarqué son malaise. Il le rejoint et l'invite à monter aux chambres. Quel revirement de la part du nécromancien ! J'en suis ravie.

La reine me signale que le moment est venu de partir. Avec un pincement au cœur, je dis au revoir à la troupe.

– Reviens nous voir quand tu veux avec Skelett ! lance madame Mastoka en reniflant.

Avant de quitter le chapiteau, la reine m'enveloppe dans sa cape, ignorant que je peux me promener le jour. En sortant, elle m'ordonne de bien m'agripper à son cou, tandis qu'elle tient Plakett contre elle. Puis, elle se met à courir si vite que j'ai peur de lâcher prise.

Soudain, mes mains se couvrent de gouttelettes rouges. La reine pleure son époux. Je la serre un peu plus fort.

Quelque temps après, nous arrivons au château. Dès que nous entrons, la reine essuie ses larmes et prend une profonde respiration, avant de me dire :

– Pas un mot à qui que ce soit de cette affaire, promis ?

– Bien sûr, Votre Majesté. Toutes mes… condoléances. Tenez, voici votre parfum.

– Je me doutais que tu m'avais suivie, me confie-t-elle. Tu es plus têtue qu'une mule. J'ai pensé te laisser des indices au cas où j'aurais des ennuis : le parfum et mon mouchoir, que j'ai réussi à retirer de la veste de mon époux.

Mon air ébahi la fait sourire.

– Tu as pris beaucoup de risques pour me secourir. Tu es une précieuse alliée en qui j'ai toute confiance.

Je deviens aussi rouge que le nez des clowns.

– Est-ce Belladona qui a concocté la potion pour ta métamorphose ?

J'opine de la tête en me forçant à garder les yeux ouverts.

– Quelle sorcière talentueuse, reconnaît la reine. Assez parlé, tu dors debout. Allez, file !

– À vos ordres.

– Rouge-Babine, ajoute-t-elle alors que je titube vers ma chambre, merci. Merci pour tout.

– À votre service, Majesté.

Dans ma chambre, je me pince.

– Ouille ! Je ne rêve pas, la reine m'a remerciée avec une chaleur quasi humaine… C'est fou, hein, Plakett ?

– Dépêche-toi de changer d'allure, grogne-t-il. J'en ai assez de ta bosse.

J'avale ma fiole de Konforma. Mon corps est secoué de spasmes, mais la douleur s'avère supportable. Je retrouve enfin mon apparence normale. Ouf! Ce n'est pas demain la veille que j'ingurgiterai d'autres potions !

– Content, Plakett ?

Il ne me répond pas. Il ronfle déjà.

13
Le nouveau Parkorifik

Je me réveille en sursaut. Marie-Blodie me secoue le bras comme une folle.

– Qu'est-ce qui se passe ?

– Son Altesse est revenue ! crie-t-elle.

– Pas si fort, tu me casses les oreilles !

– Désolée, chuchote-t-elle. Tu sais quoi ? La reine a recouvré toute sa verve. Elle nous a prévenus qu'elle avait une grande nouvelle à nous annoncer. Voilà pourquoi je te réveille. Il est près de minuit.

– Pourquoi ne m'as-tu pas avertie avant ?

– Ordre de la reine. Nous sommes conviés au grand salon, et tous les employés seront présents. Tu y comprends quelque chose ?

– Rien du tout. Où est Plakett ?

– Il grattait à la porte, alors je la lui ai ouverte. Il est parti chasser, je suppose.

– Ah bon ! Laisse-moi émerger et je vous rejoins.

J'avale d'un trait deux éprouvettes de sang-dragon. Je me sens déjà mieux ! Tiens, ce grattement m'est familier. J'ouvre à mon chien, qui me saute au cou.

– Plakett ! Comment va mon assistant favori ?

– En pleine forme ! jappe-t-il. J'ai dégusté un lièvre dé-li-ci-eux. Je suis si content de retrouver ma Rouge-Babine sans bosse !

Je le serre fort. Je l'adore, mon fidèle compagnon !

Nous quittons la chambre pour le grand salon, d'où monte un vague brouhaha. Dès notre entrée, la reine m'accueille avec un sourire radieux.

Marie-Blodie a raison, elle est resplendissante. Je note que personne ne manque à l'appel : Mordrelle, Tartar, Escudo, Walter, Niko, Jack et Miss Garrott sont là. Argus et Sycomore discutent dans un coin. Ils me saluent d'un petit signe discret de la main.

– Votre attention, je vous prie ! clame Carmilla en tapant des mains. D'abord, je vous informe que le Parkorifik va rouvrir ses portes dans une semaine.

Le contentement se lit sur tous les visages. Il faut préciser que l'ambiance du parc d'attractions est géniale, avec ses manèges, ses jeux d'adresse et son kiosque de friandises horrifiantes. Les humains croient que le Parkorifik est un parc gothique où les employés sont déguisés en vampires, car la règle du jeu consiste à se présenter vêtu de tenues effrayantes, sous forme de fantôme, de zombie, de loup-garou, etc. Une chouette idée, qui permet aussi aux vraies créatures de la nuit de se divertir en se faufilant parmi la faune costumée. Défense, bien entendu, de toucher à un seul cheveu des humains !

– Pourquoi pas la nuit prochaine ? s'informe Mordrelle.

– Parce que nous allons agrandir le parc en offrant une nouvelle attraction.

– Laquelle ? demandent à l'unisson les employés.

– Celle-ci ! annonce la reine en ouvrant les portes du salon.

Ça alors ! Oculus, madame Mastoka, les trois clowns, les frères Taki et Waki et Makabi apparaissent, un sourire nerveux sur les lèvres. Fiona, elle, survole la pièce et s'assoit au sommet du foyer.

Argus et Sycomore sourient. Ils étaient dans le coup, bien sûr. Marie-Blodie ressemble à s'y méprendre à un poisson qui vient de voir un chat. Quant aux employés, ils sont bouche bée. Sauf Jack l'Édenteur.

– Oculus, mon pote ! s'écrie-t-il en soulevant le nain dans ses bras.

C'est au tour de la troupe d'être étonnée. Et moi donc !

– Nous avons déjà navigué sur le même bateau, explique le vampire pirate.

Je comprends enfin la présence du sabre dans la chambre du nain, et la raison pour laquelle je n'arrivais pas à défaire son nœud marin ! Quant à Jack, il connaissait, bien sûr, l'existence du Vampiratum… Voilà l'information qu'il cachait !

– Écoutez-moi, poursuit-il. J'ai une bonne nouvelle à vous annoncer : le vampire pirate qui vous a attaqués, ce fou de Requiem Le Rouge, est mort. Tant mieux, je n'ai jamais digéré qu'il me coupe une main et une jambe !

– Comment est-il mort ? demande Oculus.

– Il a été bouffé par un requin.

– Quelle est la différence entre un requin et un rouquin ? lance Kiri. Eh bien ! Le rouquin a les cheveux du père, et le requin, les dents de la mer !

Tout le monde éclate de rire. La reine réclame le silence.

– Acceptez-les tous tels qu'il sont, proclame-t-elle avec ferveur. Leur solidarité est un exemple à suivre.

On entendrait une mouche voler. Jack l'Édenteur brise le silence :

– Bien dit, Majesté ! Et moi, je vous conseille de les aimer comme des potes, compris ? ajoute-t-il en sortant d'une caisse trois bouteilles de Cuvée de la Carotide.

Miss Garrott tombe dans les pommes. Un petit sourire amusé aux lèvres, la reine s'adresse à la troupe de Makabi :

– Ne vous inquiétez pas, elle va s'en remettre.

Ensuite, Carmilla fait les présentations. Un tableau presque irréel se dessine devant mes yeux. Les vampires plus que parfaits serrent la main à des créatures considérées comme des « monstres » !

Marie-Blodie m'étonne. Elle semble fascinée par les frères siamois. Quoique… exigeante comme elle est, deux princes charmants valent mieux qu'un !

Je serre la main de chacun sans qu'ils me reconnaissent. Belladona a fait du bon travail. Pour moi, constater que ces créatures marginales ont enfin une place dans la communauté des vampires est la plus belle des récompenses. Dire que la reine a changé d'idée grâce à son mari ! L'amour peut de grandes choses…

Perdue dans mes pensées, je sursaute quand madame Mastoka susurre à mon oreille :

– Rouge-Babine, hein ? Ça te va mieux que Bossanova…

Devant mon air inquiet, elle me rassure.

– Sois sans crainte. Motus et bouche cousue !

Je lui souris. Quelle gentille dame… et quels yeux de lynx !

Walter revient avec des bouteilles de sang de cochon nain, d'éléphant, de hyène et de chat siamois. Chouette attention pour les nouveaux venus. Sycomore et Makabi partagent une bouteille de champagne. Un toast est porté à la nouvelle aventure qui commence. Je m'accroupis et souffle à mon chien :

– Quelle enquête, hein, Plakett ?

Il ne répond pas, trop occupé à gruger l'os énorme que la reine lui a offert.

* * *

Une semaine plus tard, Marie-Blodie, Argus, Belladona, Plakett et moi sommes conviés à la réouverture du nouveau Parkorifik. Oui, Belladona est là. La reine a tenu à saluer notre complicité au cours de cette enquête. Très chic de sa part…

À notre arrivée, la fête bat son plein. Les employés ont effectué un boulot du tonnerre. Le parc est deux fois plus grand qu'avant, et son chapiteau rayé trône au milieu de la place.

Je capte quelques réflexions d'humains :

– Ce cirque de vampires est une idée géniale !

– Il paraît qu'un fantôme y circule… J'ai hâte de voir les effets spéciaux utilisés !

J'aperçois alors Sycomore. Il marche vers nous, le sourire aux lèvres. Il me lance un clin d'œil et m'annonce que la reine se prépare à assister à cette première. Je lui présente Belladona. Quel plaisir de les voir sympathiser tout de suite ! Je les laisse à leur discussion de potions et rejoins les coulisses du cirque. Je salue les clowns et les frères Taki et Waki, que Marie-Blodie monopolise déjà. Un peu plus loin, je crois rêver : Miss Garrott rougit devant Oculus ! Tiens, voilà Niko. Il me sourit et flatte Plakett.

– Je suis devenu l'assistant de Makabi, m'annonce-t-il, tout fier. Je ne m'ennuierai plus, c'est génial !

– Et ton furet ?

– Je l'ai offert à madame Mastoka. Ils sont très heureux ensemble.

En effet, je vois la femme-éléphant offrir des bouts de saucisse à Magikus, niché sur son épaule. Avec un grand sourire, elle me salue de la main. Niko tire ma cape.

– Tu vas assister au spectacle, hein ?

– Avec plaisir !

Un courant d'air frais me frôle soudain l'épaule : c'est Fiona. Elle virevolte dans les airs, puis dépose un baiser sur la joue de Makabi. Le visage illuminé du sorcier me réjouit

Je m'assois sur les gradins en compagnie de Plakett en songeant à Sherlock Holmes, qui ne croit pas au surnaturel. Cette enquête-là, il ne l'aurait pas résolue ! Ça me fait un petit velours…

L'auteure

Après des études en design graphique, Lili Chartrand a travaillé pendant plusieurs années dans le domaine du cinéma d'animation. Elle écrit des romans pour les jeunes depuis treize ans et elle a près de quarante parutions à son actif. *Rouge-Babine, vampire détective* figure sur la liste White Ravens et a été finaliste au prix Hackmatack en 2008. En 2012, *Rouge-Babine et l'opération Jade* était finaliste pour le prix Tamarack Express. *Cauchemar blanc pour Rouge-Babine* est lui aussi finaliste pour le Hackmatack 2013-2014.

Lili est une grande passionnée de lecture, et elle aime tout ce qui est magique et farfelu. *Rouge-Babine au Vampiratum* est le cinquième roman qu'elle publie à la courte échelle. Elle est aussi l'auteure de quatre séries dans la collection Première Lecture: *Balthazar*, *Cerise*, *Pépita* et *Fanfan*. Elle a également écrit l'album *Le parapluie jaune*, illustré par Pascale Bonenfant.

Visitez le www.lilichartrand.com

Table des matières

Série

ROUGE-BABINE

Contient 4 romans : *Rouge-Babine, vampire détective*, *Mission royale pour Rouge-Babine*, *Rouge-Babine et l'opération Jade*, *Cauchemar blanc pour Rouge-Babine*

MIXTE
Papier issu de
sources responsables
FSC® C100212

Achevé d'imprimer
en octobre deux mille treize, sur les presses
de l'imprimerie Gauvin, Gatineau, Québec